afgeschreven

Dakterrassen en balkons

Oorspronkelijke titel: Rooftop and Terrace Gardens –
Garden Style Guides
© 2008 John Wiley & Sons Ltd

© Nederlandse vertaling 2009
Unieboek bv, postbus 97,
3990 DB Houten
www.unieboek.nl

Fotografie
Alle fotografie van Steve Gorton, met uitzondering van:
Blz. 8 © Urbis Design, blz. 10, 76 © Urban Roof Gardens
Ltd, blz. 19, 26, 45 © The Garden Trellis Company Ltd,
blz. 34, 67 © David Harber Ltd,

Vertaling: Dagmar Jeurissen, Context-D
Omslag ontwerp: Teo van Gerwen - Design,
www.tvgdesign.nl
Binnenwerk: Teo van Gerwen - Design,
www.tvgdesign.nl
Uitgever: Yvonne van Gestel
Redacteur: Jantine Crezée

isbn 978 90 475 0817 5
nur 425

DAKTERRASSEN EN BALKONS

Tuinstijlgidsen

CAROLINE TILSTON

Fotografie van Steve Gorton

DAKTERRASSEN EN BALKONS

INSPIRATIE

Inleiding

B ij tuinieren op hoogte draait 't om extremen. De zon is er warmer, de wind sterker, de prijzen zijn er hoger en de privacy en het genot niet te beschrijven.

Een van de moeilijkste dingen van het aanleggen of opknappen van een dakterras of balkontuin is bijna altijd dat er weinig grond is onder je voeten. Je legt een terras aan in een omgeving die van nature geen planten of bomen heeft, alles moet erin worden gezet en jij bepaalt wat er gebeurt. Dat is nog eens helemaal vanuit het niets beginnen!

En zo gaat het met dakterrassen en balkons. Wat in eerste instantie een beperking lijkt (dat je geen grond hebt, beperkt je plantenkeuze), kan een voordeel worden als je gaat denken in termen van bakken, minimalisme en structurele beplanting.

Het is dus in de eerste plaats de moeite waard om in het algemeen te kijken naar de beperkingen en voordelen van dakterrassen, en vervolgens na te denken over hoe je deze op jouw ruimte toepast.

Dit opvallende plantontwerp wordt geaccentueerd door de moderne plantenbak.

Voordelen van een terras

Creëert een extra kamer Als je optimaal gebruikmaakt van een dakterras krijg je er een extra kamer bij of in elk geval meer leefruimte.

Waardeverhoging Een extra kamer verhoogt de waarde van je huis.

Voordelen voor het milieu Elke nieuwe plant die je op je dak zet, helpt het milieu – al het groen in de stad is welkom.

Optimaal uitzicht Hopelijk heb je op het dak een schitterend uitzicht – zelfs uitzicht over andere daken kan te gek zijn.

Privacy Je hebt op een dak minder last van priemende blikken dan op de grond.

Jezelf uitdrukken Door deze privacy heb je ook minder visuele referentiepunten voor je terras. Je kunt het ontwerp maken zoals je zelf wilt en je hoeft je niet druk te maken of het bij de rest past.

Zon Het is er waarschijnlijk erg zonnig en licht, met veel minder schaduw dan een tuin op de grond.

Weinig onderhoud Omdat er van nature geen aarde is, kun je eenvoudig minder planten gebruiken – en dat betekent minder onderhoud. Dus als je wilt, heb je de frisse lucht en een lekkere plek om te zitten, zonder het gedoe van een tuin.

Nadelen van en problemen bij het aanleggen van een terras

Praktische beperkingen Gewicht, toegankelijkheid en dergelijke. Ik heb hieraan een hoofdstuk in dit boek gewijd, want het is belangrijk dat dit klopt, maar laat je niet afschrikken. Boven alles (zoals het plezier), is je terras waarschijnlijk een goede investering.

Wind Boven het grondniveau waait de wind harder en moet je ervoor zorgen dat niets naar beneden kan waaien. Zorg ook dat er beschutte plekken zijn om te zitten.

Water geven Door wind en zon en de weinige aarde drogen planten sneller uit en hebben ze extra veel water nodig. Een automatisch sproeisysteem is een goed idee als je meer dan een minimalistische beplanting hebt.

Geen aarde Dit kan een voordeel zijn als je geen planten wilt en niet van tuinieren houdt. Als je wel wat groen wilt, moet je aarde of potgrond naar boven brengen en het dak moet het gewicht aankunnen.

Meestal klein Nogmaals, als je alleen in de zon wilt zitten, dan is klein prima, maar als je een enorme tuin wilt... dat gaat niet gebeuren op een dak.

De aanleg van een dakterras of balkontuin

Het raakt steeds meer in zwang om optimaal gebruik te maken van een dak. Uit milieuoverwegingen, maar ook om elke centimeter ruimte in, op of om het huis te benutten.

Sarah Bevin van Urban Roof Gardens, een bedrijf dat gespecialiseerd is in het aanleggen van hoge tuinen, beantwoordt een aantal vragen die je op weg kunnen helpen...

Dit terras in Londen van Urban Roof Gardens werpt een nieuw licht op de avond. De verlichting op het terras past bij de levendigheid van de stad.

V & A

Kan ik een dakterras of balkontuin aanleggen?

Je hebt drie dingen nodig – als je die niet hebt, dan is het onmogelijk:

- Ruimte buiten die van jou is en die je mag gebruiken (check de akten van je woning).
- De plek moet gewicht kunnen dragen of versterkt kunnen worden.
- De plek moet toegankelijk zijn – bijvoorbeeld via een deur of raam.

Kan ik een dakterras hebben als mijn dak schuin loopt?

Het is makkelijker bij een plat dak om een bruikbare ruimte te maken, maar zelfs als je een hellend dak hebt, is het niet onmogelijk om er een terras op te maken. Je kunt een deel van het dak verlagen en het vlak maken – een soort omgekeerde dakkapel.

Welke andere dingen kunnen een terras in de weg staan?

Bouwvergunningen. Informeer altijd bij de Dienst Bouw & Woningtoezicht van je gemeente voor je aan de slag gaat. Meestal heb je voor de aanleg van een dakterras een vergunning nodig als je op andere panden uitkijkt, of als de aanleg gepaard gaat met de bouw van muren of het plaatsen van een extra trap. Misschien spelen er ook nog andere, specifieke zaken. Laat je dus goed voorlichten.

Nog iets anders?

De privacy bepaalt vaak de hoeveelheid ruimte die je kunt gebruiken, dus neem in je ontwerp ook een goede afscheiding mee.

Wat als er wel een raam maar geen deur is?

Een raamopening naar een terras kun je met gebruikmaking van de bestaande opening veranderen in een deur – dus zonder nieuwe lateien.

En wat als er wel een ladder maar geen echte trap naar het dak is? Moet ik een wenteltrap plaatsen?

Een echte trap neemt meer ruimte in beslag dan een ladder, zowel binnen als op het dak, maar een betere toegankelijkheid kan een pluspunt zijn. Een wenteltrap neemt op de grond meer ruimte in dan een conventionele trap en is vaak moeilijker te belopen.

Is het duur?

Je weet vast wat ik ga zeggen... dat hangt ervan af. Hoe meer er verbouwd moet worden, des te hoger de kosten. Verbouwingen omvatten zaken als het plaatsen van hekwerken, versteviging van het dak en als dat eenmaal is gedaan kun je als je dat wilt veel spenderen aan meubels, verlichting en accessoires. Maar bedenk wel dat het creëren van een nieuwe, bruikbare ruimte waardeverhogend is voor een huis.

Waar kun je het beste beginnen?

Lees dit boek, uiteraard, maar ik zou ook een architect die ervaring heeft met dakterrassen om advies vragen en hem laten beoordelen wat er mogelijk is. Gespecialiseerde bedrijven hebben vaak architecten en bouwkundig ingenieurs in dienst met veel ervaring op dit gebied.

Hoe begin je met het ontwerp van de daktuin?

Een vraag: wil je dat de ruimte aansluit bij het huis omdat het een buitenkamer is die visueel aan het huis vastzit, of ga je voor het onverwachte? Boven de begane grond durf je vaak meer, waardoor het ontwerp minder beperkingen kent. Vraag je ook af wat je met het dakterras wilt en hoe je het wilt gebruiken. Vragen zoals: ga je ernaartoe of kijk je er alleen naar? Wil je dieren en groen of alleen een chique buitenkamer?

Kan ik een echte tuin maken met planten en bomen?

Meestal staat de beplanting in bakken of verhoogde bedden en deze kunnen groot genoeg zijn om bomen te bevatten, het gewicht vormt de grootste beperking. Je kunt de planten met behulp van een lichtgewicht substraat ook rechtstreeks op het dak laten groeien – dit wordt veel bij groene daken toegepast (zie hoofdstuk 10).

Dit boek

DEEL 1
INFORMATIE

Het eerste deel van het boek bevat de informatie die je nodig hebt om een dakterras te ontwerpen en aan te leggen.

DEEL 2
INSPIRATIE

In het tweede deel vind je tien verschillende dakterrassen en balkons.

Deel 1
Informatie

Het ontwerp en de indeling van elke daktuin is eigenlijk vrij logisch en doorloopt een vaste volgorde om de daktuin te krijgen die je wilt en die past bij de ruimte. Dit proces is over het algemeen voor elk terras hetzelfde:

1. Verzamel informatie over de plek.
2. Verzamel informatie over wat je met de plek wilt.
3. Zoek inspiratie voor het ontwerp.
4. Maak het ontwerp – creëer de ruimtes.
5. Bepaal hoe je deze ruimtes met horizontale en verticale elementen definieert.
6. Voeg decoratieve onderdelen en beplanting toe.

Toch is er bij dakterrassen en balkons een verschil, want de informatie die je over de plek nodig hebt, moet erg gedetailleerd en specifiek zijn. Wat er onder je voeten ligt, is belangrijk – het is geen stevige aarde. Nergens anders in tuinaanleg is de technologie van de structuur zo belangrijk voor het ontwerp.

HOOFDSTUK 1: Is je dak klaar voor een terras?

Zo. Begin ik normaal gesproken met iets positiefs en inspirerends, dit boek begin ik met de praktische kant. Deze punten zijn zo bepalend voor het ontwerp, de beplanting en al het andere met betrekking tot dakterrassen of balkontuinen, dat het belangrijk is om ze als eerste te behandelen.

HOOFDSTUK 2: Informatie verzamelen

Dit hoort bij het 'normale' ontwerpproces – informatie verzamelen over dakterrassen en wat je ervan wilt.

HOOFDSTUK 3: Ruimtes creëren

Hier komt al deze informatie samen en er ontstaan ruimtes op het terras – het ontwerp wordt gemaakt.

HOOFDSTUK 4: Muren en vloeren

Dit gaat van de manieren waarop de ruimtes kunnen worden gemaakt tot hoe de muren en vloeren eruitzien.

HOOFDSTUK 5: Plantenbakken

De meeste terrasbeplanting staat in bakken en ook deze spelen bij het ontwerp een belangrijke rol. Daarom heb ik er een heel hoofdstuk aan gewijd: hoe kun je ermee ontwerpen en hoe beplant je ze.

HOOFDSTUK 6: Waterelementen

Je verwacht het misschien niet, maar ook voor een dakterras zijn waterelementen te koop. Het is daardoor des te spannender.

HOOFDSTUK 7: Sculpturen

Beelden kunnen op een dak van toegevoegde waarde zijn. De beplanting is vaak beperkt, waardoor kunst de sfeer van een terras kan vergroten.

HOOFDSTUK 8: Verlichting

Dit is vooral belangrijk als je het terras vanuit huis kunt zien. Als het donker is, is het heerlijk om het uitzicht van overdag te vervangen door een even mooi nachtzicht.

HOOFDSTUK 9: Planten

Dakterrassen en balkons vormen voor planten een bijzondere omgeving. Hier vind je een lijst met soorten die ertegen kunnen en die mooi zijn.

HOOFDSTUK 10: Groene daken

Groene daken zijn een speciaal soort dakterras, vooral ontworpen voor de planten en het milieu in plaats van voor de mens. Ze zijn geschikt voor daken die te klein zijn voor een terras of waarop je niet kunt staan.

Is je dak klaar voor een tuin?

Dakterrassen kennen veel meer praktische en technische beperkingen dan elk ander soort tuin. Het ontwerp hangt af van technische vraagstukken – van de belastbaarheid van het dak tot het weglopen van water.

Of je helemaal vanuit het niets begint of een bestaand dakterras gaat aanpakken, het is handig om de checklist te raadplegen – fouten kunnen kostbaar zijn!

De eerste drie tips zijn absoluut noodzakelijk – als je denkt dat je een plek hebt die je kunt gebruiken of je wilt het ontwerp van een daktuin aanpassen, moet je drie dingen echt doen:

Bouwkundig ingenieur/architect

Haal er een ervaren iemand bij om naar de plek te kijken en een inschatting te maken of de aanleg of aanpassing van een terras haalbaar is. Als het inderdaad haalbaar is, dan heb je een bouwkundig ingenieur nodig die de belastbaarheid van het dak kan berekenen in relatie met wat je wilt.

Bouwvergunning

Het loont de moeite om na te gaan of je een bouwvergunning nodig hebt. Als je flink aan de slag gaat met muren en de toegankelijkheid van je dakterras, dan heb je er bijna altijd eentje nodig.

Bouwverordeningen

Ook hier geldt dat je dit altijd moet nagaan – gemeenteambtenaren zijn vooral geïnteresseerd in belastbaarheid, drainage en de lekbestendigheid van een gebouw.

Denk bij werken op het dak altijd aan…

- Veiligheid
- Gewicht
- Lekkages

Dan is er ook nog een lange lijst van andere praktische zaken waarover je moet nadenken en die van invloed zijn op het ontwerp.

Onderwerp	Invloed op het ontwerp
Kunnen mensen erop komen of niet? Dit lijkt een voor de hand liggende vraag, maar het dak of het balkon kan te klein zijn of niet sterk genoeg voor het gewicht van meerdere mensen.	Zelfs als je er niet op kunt staan, dan kun je toch iets moois maken. Een plek waarvan je vanuit huis kunt genieten en die 's avonds wordt verlicht. Het zicht vanuit huis is dus het belangrijkste uitgangspunt van het ontwerp.
Toegankelijkheid materialen Als je onderdelen gaat bouwen of planten en meubels op je dak gaat plaatsen, denk dan na over hoe je alles boven krijgt. Zelfs een zak kiezels voor een kleine vijver kan een drama zijn als je geen lift hebt of als je de lift niet voor alles mag gebruiken.	Meubelen moeten misschien uit elkaar worden gehaald en boven weer in elkaar worden gezet, maar het is makkelijker om te zorgen dat het ontwerp is afgestemd op het langste stuk hout dat je met de trap of lift naar boven krijgt. Als je echt iets enorms wilt, kun je een kleine hijskraan huren.
Toegankelijkheid voor gebruik Hoe kom je op je dak als je het wilt gaan gebruiken?	De eenvoudigste oplossing is een deur op terrasniveau. Als er alleen een ladder is, kun je hier misschien een trap voor in de plaats zetten. Dit is wel kostbaar en neemt ruimte in beslag, zowel op het dak als binnen.

Nooduitgang

Is het dak onderdeel van een vlucht-
weg, laat die dan onbelemmerd.

Waterdicht

Het is belangrijk dat de waterdichte
ondergrond niet beschadigd raakt.

Inbraakpreventie

Platte daken zijn geliefd bij
inbrekers en goede sloten op de
deuren lonen. Zorg ook dat alles
wat er op het dak staat goed
verankerd en afgesloten is.

Ramen lappen?

Moet je ramen lappen en hoe ga je
dit doen? Het is een detail, maar als
je het echt moeilijk maakt om bij
de ramen te komen, dan kan het
erg vervelend zijn.

Misschien moet je in het ontwerp je vlucht-
wegen op het dak aangeven, zodat ze vrij
blijven.

Over alles wat je normaal in de grond zou
verankeren moet worden nagedacht.
Verticale elementen, als een pergola of hekwerk, en kleine dingen als grondlampjes
kunnen het dak beschadigen.

Denk na over veiligheidsverlichting, het uit-
breiden van je alarminstallatie naar het dak
en zijn toegankelijkheid. Neem voor advies
contact op met de politie bij jou in de buurt.

Waarschijnlijk wordt de toegankelijkheid
door de aanleg van een daktuin juist ver-
groot, maar niet als je een bloembed meteen
naast het raam plaatst of als je allerlei dingen
ophangt daar waar de glazenwasser naar
boven moet.

Drainage

Zelfs een plat dak heeft een lichte helling zodat het water in de goot of regenpijp kan stromen. Als er plassen water op blijven staan, is dit geen goed teken. Op den duur veroorzaakt dit lekkages.

Wind

Op een dak is het winderiger dan in een 'echte' tuin en in een stad zorgen de gebouwen er vaak voor dat de wind uit alle richtingen komt.

Wat je ook op het dak doet, het water moet op drie plekken kunnen weglopen. Houd de helling intact en blokkeer de drainage-punten niet.

- Kies eventueel voor windbrekers, stevig verankerd.
- Misschien heb je extra beschutting nodig.
- Meubels en andere objecten moeten zo zwaar zijn dat ze niet van het dak kunnen waaien.

Dit soort trellissen maken de wind minder krachtig en je leefruimte een stuk comfortabeler, terwijl een massieve afscheiding juist meer wind genereert.

Kabels en buizen

Misschien lopen er al heel wat kabels voor de schotel en telefoon en misschien voeg je er nieuwe aan toe, zoals elektriciteitskabels (voor waterpompen, geluidsinstallaties, computers, telefoons en verlichting) of buizen voor bevloeiingssystemen.

Deze zullen allemaal op de een of andere manier ergens boven de grond moeten worden weggewerkt. Snap je nu dat vlonders een praktische oplossing zijn? Alle bedrading kan er gewoon onderdoor lopen.

Bergruimte

Je hebt vrijwel zeker bergruimte nodig en het is veel makkelijker om spullen buiten op te bergen dan binnen.

Maak als dit enigszins mogelijk is een soort kast buiten voor meubels, tuin- en schoonmaakgereedschap. Een bank met een klapdeksel werkt prima en ruimtebesparend. Of, het andere uiterste, maak een afgeschermd gedeelte waarachter je alles uit het zicht opbergt.

Kosten

Alles kost meer op een dak. Je hebt gewoon meer manuren nodig voor de aanleg en omdat de technische eisen streng zijn, is het duurder het project op poten te zetten.

Het kan betekenen dat je het project in verschillende fases moet doen. Het loont de moeite om met de architect of aannemer te praten over de verstandigste manier om dit aan te pakken.

Afscheidingen

Bouwinspecteurs zijn vooral geïnteresseerd in het hekwerk rond je terras, maar buiten dit is het goed om zorgvuldig na te denken over het hek en het onderhoud, vooral als er kinderen op het dak zullen komen.

Het hek moet niet alleen stevig zijn, maar kinderen moeten er nergens op of overheen kunnen klimmen. Bakken bij de afscheiding, speelgoed, een brandtrap, zitplekken: deze kunnen door een kind worden gebruikt om erachter te komen wat er aan de achterkant te zien is. Ik ben misschien wat paranoïde op dit punt, maar controleer ook altijd de staat van het hekwerk. Een losse schroef of wat roest kan een onveilige situatie opleveren.

Belastbaarheid

Laat altijd een bouwtechnisch ingenieur uitrekenen wat je waar mag plaatsen.

Een grove richtlijn is dat het waarschijnlijk het veiligst is om zware dingen langs de randen en boven op steunmuren van het gebouw neer te zetten. Denk aan plantenbakken, banken en waterelementen. De plekken die zwaarder belast kunnen worden zijn bepalend voor het ontwerp en de indeling.

WIN ADVIES IN… Het loont echt de moeite om alles goed te laten onderzoeken, niet alleen om een rampscenario te voorkomen, maar ook om oplossingen voor problemen te bedenken.

Tegenstrijdigheden van daktuinen

Licht vs. veilig

Het advies is om alles lichter te maken: lichtere bakken, lichtere meubels, lichtere materialen. Maar lichter betekent ook dat alles sneller om en weg kan waaien. Kies dus voor licht, maar zorg dat alles goed vastzit (zonder het dak te beschadigen).

Privacy vs. uitzicht

Je wilt privacy en afscherming, maar je wilt ook optimaal van je uitzicht kunnen genieten. Als je 360 graden wilt kunnen kijken, wordt het een winderige plek. Een compromis is ook hier de beste oplossing. Zoek uit waar de wind meestal vandaan komt, maak daar een afgeschermd gedeelte en als je geluk hebt, bevindt het mooie uitzicht zich aan de andere kant.

Informatie verzamelen

As je de specifieke informatie over een tuin op hoogte op een rijtje hebt gezet, werkt het ontwerpen van een balkontuin of dakterras bijna hetzelfde als bij een gewone tuin.

Je moet alleen meer algemene informatie gaan verzamelen over wat er al aanwezig is en hoe je je buitenruimte wilt gaan gebruiken.

Wat is er?

Veel informatie over de plek zal al behandeld zijn in het eerste praktische hoofdstuk, maar nu gaan we naar je ruimte kijken op een esthetische en functionele, in plaats van technische manier. Hieronder staat een lijst van veel voorkomende situaties met ernaast eventuele gevolgen voor het ontwerp. Misschien vallen andere zaken je op die specifiek voor jouw terras zijn, maar veel situaties gaan op voor alle terrassen.

Situatie	Gevolgen voor het ontwerp
Zie je het terras vanuit huis? En zo ja, van waar?	Als er een groot raam of een deur is waardoor je op het terras kunt kijken, dan moet je goed over het zicht nadenken. Je ziet het elke dag het hele jaar, 's winters en 's zomers, dus het moet er goed uitzien. Dit zicht zal waarschijnlijk het meest bekeken deel van de terrastuin worden.
Is er als je op het terras staat een bepaald uitzicht dat best versterkt mag worden of iets wat je het liefst aan het oog wilt onttrekken?	Met een afscheiding van planten of met een trellis verberg je een lelijk zicht. Dezelfde materialen kunnen het oog ook naar een mooi uitzicht trekken.
Kan iemand op je terras kijken?	Als iemand op het terras kan kijken, dan kan een overkapping of een wat grotere boom in elk geval een gedeelte afschermen. Kies voor dat deel waar je wilt gaan zitten, en dat je het meeste gaat gebruiken.

2

Heeft de plek een ongelijkmatige ondergrond of niveauverschillen?

Niveauverschillen maken het spannend, maar het is lastig als ze precies op die plek zijn waar je een tafel en stoelen wilt neerzetten. Probeer dat deel in elk geval vlak te maken door het hoogste punt als uitgangspunt te nemen, misschien door vlonders te gebruiken. Met vlonders kun je ook een ongelijke ondergrond vlak maken.

Is de daktuin erg zonnig en open?

Waarschijnlijk wil je wat schaduw in je daktuin hebben, al is het maar een zonnescherm tegen de ergste middaghitte, maar misschien wil je met een constructie wat blijvendere schaduw creëren, die ook de wind buiten spel zet.

Zonneschermen zijn makkelijk uit te klappen als de zon te heet wordt en zien er in de stad vaak erg mooi uit.

Of zijn er plekken met veel schaduw?

Veel schaduw kun je benutten door daarin schaduwminnende planten met grote bladeren en een bankje te zetten. Deze plek kun je 's avonds verlichten, waarbij je de lampen in het groen verstopt.

Zijn er lelijke dingen op het dak, zoals schotels of bergkasten?

Onttrek deze aan het zicht met schuttingen, trellissen of beplanting. Hierdoor bepaal je de indeling van je ruimte.

Deze trellis is ideaal als afscherming en hij houdt de wind buiten.

Een plattegrond maken

Als je informatie over de plek verzamelt, moet je ook alles goed opmeten en een plattegrond maken. Als je een terras op-nieuw gaat indelen is een plattegrond op papier handig. Je kunt veel kopieën maken en hierop eindeloze schetsen maken, zonder dat je ergens aan vastzit. Een teke-ning op schaal geeft je daarnaast inzicht in de verhoudingen van de verschillende items en de totale ruimte, waardoor je alles precies kunt plaatsen.

Naast de totale afmetingen en verhoudin-gen van het terras, geef je op de platte-grond ook aan wat er nu al is en wat blijft. Denk bijvoorbeeld aan:
- omtrek van de tuin
- gebouwtjes die blijven staan, zoals een schuurtje

- toegang tot het terras
- afvoerpunten
- niveauverschillen
- buitenkranen
- elektriciteitsaansluitingen

Je hoeft geen dingen op te meten die je niet gaat hergebruiken.

Geef op de plattegrond ook de goede en slechte dingen aan: een mooi uitzicht, een lelijk punt, beschutte plek, zonnig gedeelte enzovoort.

Natuurlijk kun je als je geen plattegrond wilt of kunt maken, ook alles met tape op de grond aftekenen. Dit is soms veel duidelijker en makkelijker voor te stellen.

Wat wil je?

Voordat je met het ontwerp kunt gaan beginnen, is het van belang bij jezelf na te gaan hoe je de ruimte wilt gebruiken. Dit is het laatste stukje informatie, dat je nodig hebt.

1. Wil je afgezonderd en alleen zijn, of wil je dat de ruimte geschikt is voor het geven van feestjes?

Je kunt beide doen, maar je moet wel bedenken wat je het belangrijkst vindt. Als je bijvoorbeeld een terras wilt voor…

Feestjes – een publieke plek

Dan heb je nodig:
- een centraal, groot eetgedeelte buiten
- veel zitplekken en open ruimtes
- een barbecue
- heaters (vuurkorven zijn milieuvriende- lijker dan elektrische *heaters*)
- geluidsinstallatie
- een *hot tub* of sauna
- verlichting

Afzondering – een privéplek
- losse stoelen
- een prieeltje van hout of een trellis voor een mooi uitzicht, maar afgescheiden van de rest van de wereld
- beplanting en schuttingen om intieme plekken te creëren
- elektriciteitsaansluiting voor je iPod en computer
- een hot tub of sauna – om optimaal gebruik te maken van de privacy en het uitzicht

Zitgedeelten – hoe groot en waar moeten ze komen?
- Zitplekken kunnen bestaan uit losse stoelen om je op terug te trekken of uit een tafel voor twaalf.
- Als je een tafel en stoelen wilt, moet je voor voldoende ruimte zorgen. Ruimte voor de tafel, ruimte voor de stoelen, ruimte voor mensen om op de stoelen te gaan zitten en ruimte voor de mensen om erachterlangs te lopen.

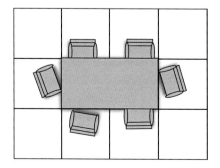

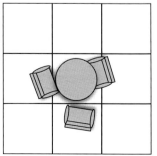

1 vierkant = 1 vierkante meter

- Naast het formaat van de benodigde ruimte, maakt het ook uit of de plek zich in de zon of de schaduw bevindt. Het is logisch om het zitgedeelte in de zon te positioneren – je kunt indien nodig altijd extra schaduw creëren.
- Maar bedenk waar de schaduw valt als je een zonnescherm gebruikt. Een parasol in het midden van de tafel is heerlijk voor een middag in hartje zomer; de rest van de tijd staat de tafel te veel in de schaduw en is het niet prettig om eronder te zitten.
- Misschien is het nog wel belangrijker om een zitplek uit de wind te hebben.

- Maar als er een plek is waarvandaan je een schitterend uitzicht hebt, dan gaat dat voor alles. Je kunt een scherm tegen de wind en zon installeren, maar je kunt geen uitzicht maken.

Is het gek?

Als je je zitgedeelte bij het huis maakt en er binnen nog een zitplek is, kan dit een probleem opleveren. Sommige mensen vinden het vreemd om zowel binnen als buiten, recht naast elkaar, aan weerszijden van het raam, een tafel met stoelen te hebben. Zelf had ik daar nooit zo over nagedacht, totdat iemand me er een keertje op wees.

3. Heb je praktische zaken zoals waslijnen, elektriciteit en water nodig op je dak?

- **Elektriciteit**

  Zelfs als je nu geen verlichting of andere elektronische apparatuur op je dak wilt, zorg wel voor lege pijpen op het terras, waardoor later draden kunnen worden getrokken zonder dat je de bestrating of vlonders weg hoeft te halen.

- **Waslijnen**

  Misschien heb je een waslijn nodig. Er zijn best mooie exemplaren te koop, maar een ouderwetse lijn over het dak gespannen heeft ook wel wat. Niet te ver weg en in de zon is meestal de beste plek voor een waslijn.

- **Compost**

  Het is doorgaans een goed idee om een plek te hebben voor je tuinafval. Hoewel, als je maar een paar planten hebt, is het vaak niet de moeite waard. De compost moet wel uit het zicht zijn, weg van het zitgedeelte.

- **Bergplekken**

  Misschien heb je een bergplek nodig, bijvoorbeeld voor tuinkussens en schoonmaakspullen, en als je kinderen hebt moet je speelgoed op kunnen ruimen.

- **Water**

  Als je flink wat planten hebt, is een buitenkraan handig. Je kunt op de kraan ook een automatisch bevloeiingssysteem aansluiten.

4. Geleidelijke overgang tussen binnen en buiten of een verrassing?

Als je een nieuw terras of nieuwe balkontuin aanlegt en zelf kunt bepalen hoe je van binnen naar buiten moet lopen, dan is het de moeite waard om de toegankelijkheid zo optimaal mogelijk te maken en het zicht van binnenuit zo wijds en open mogelijk te houden. Iets als een glazen pui en openslaande deuren is een goed idee en telkens als je je eten naar buiten draagt, zul je dankbaar zijn voor je beslissing. En steeds als je naar de tuin kijkt en de ruimtelijkheid ervaart van de skyline en de lucht erboven, ben je opnieuw blij. Maar als dit niet mogelijk is en je het dak via een trap of ladder moet beklimmen, zorg dan voor een verrassingselement en voor een 'wow'-effect als je op het terras stapt.

Kun je het terras van binnenuit zien?

Als je van binnen een mooi zicht op de tuin hebt, dan zal hij er het hele jaar door goed uit moeten zien. Wintergroene planten, sterke structuren en een goede verlichting doen hun werk. Als je het terras vanuit huis niet kunt zien, dan is de kans groot dat je er in de winter niet veel zult komen, waardoor hij er vooral vanaf de lente tot en met de herfst goed uit moet zien.

Ruimtes creëren

Je hebt alle informatie over de plek en hoe je die wilt gebruiken, nu ga je alles samenbrengen.

Dit kun je in twee fases doen:

Denk eerst na over je inspiratie, de juiste uitstraling en sfeer van het terras.
Begin dan met het echte ontwerp van het terras – het creëren van de ruimte.

Inspiratie

Het werkt erg goed als je naar foto's van andere dakterrassen en balkontuinen kijkt om erachter te komen wat je aanspreekt. Je hoeft ze niet precies na te maken, maar gebruik de elementen die je mooi vindt. Dit kunnen schaduwrijke, groene ruimtes zijn, strakke lijnen of een mysterieuze uitstraling. Dit soort dingen verwerk je in de indeling van je tuin. De tweede helft van dit boek biedt volop inspiratie. Je kunt ook met een thema werken...

Ontwerpthema's

Werkt een thema? Wordt het een mengelmoes? Alles te strak doorvoeren doet het niet voor iedereen goed, hoewel ik ooit een tuin heb ontworpen waarvoor dat een van de vereisten was en, al zeg ik het zelf, het pakte best goed uit. Als je het veiliger wilt aanpakken, kun je een mediterraan tintje geven aan de tuin, een kleurenthema gebruiken of je laten inspireren door moderne tuinen. Dit soort thema's geven een tuin een bepaalde basis en een zekere sfeer. Door een thema kun je bepaalde ontwerpbeslissingen makkelijker maken en betere keuzes maken over de aankleding. Clichés kun je het beste voorkomen door niet te star met het thema aan de slag te gaan. Laat je erdoor inspireren en maak niet alles klakkeloos na. Een ander punt is dat je alleen die dingen in je tuin moet zetten, die noodzakelijk zijn voor het ontwerp. Tegen wil en dank veel beelden neerzetten oogt al snel te overdreven, terwijl één sculptuur als blikvanger kan dienen.

Dit sculptuur van David Harber maakt indruk in een tuin, zonder te sterk aanwezig te zijn. Het is gemaakt van zachte kiezels, die samen een perfecte cirkel vormen. 's Avonds wordt hij vanbinnenuit verlicht, waardoor er lichtstralen naar buiten schijnen.

Als je inspiratie op wilt doen kan onderstaande vraag je op weg helpen in een bepaalde richting:

Aansluiten bij binnen of verrassing?

Helemaal in stijl met het gebouw? Of een verrassing, een 'wow'? Hier zijn geen regels voor te geven, maar over het algemeen denk ik dat je het beste bij de lijnen van het pand kunt blijven. Als je dus in een erg modern gebouw woont, kies dan voor strakke lijnen en vergelijkbare materialen. Het verrassingseffect kun je met de beplanting creëren. Kies in plaats van een

moderne, minimalistische beplanting voor springerige veldplanten met veel bloemen. Deze zien er in strakke bloembedden te gek uit. Als je daarentegen in een klassieker pand woont, kun je op je terras moderne elementen introduceren met behulp van een roestvrijstalen beeld of een modern, minimalistisch waterelement, maar dit is maar een mening en een van de mooie dingen van terrassen is juist dat je er je eigen stempel op kunt drukken. Je kunt er je eigen wereld van maken en het je persoonlijke 'wow' geven.

Buiten op binnen afstemmen

Als je binnen en buiten visueel met elkaar in verband wilt brengen, dan kun je dit op verschillende manieren doen:

1. Materialen

Als je binnen strak gestuukte muren in lichte kleuren hebt, gebruik dan dezelfde tinten buiten. De ruimte lijkt naar buiten toe door te lopen en oogt stukken groter. En als je in huis een houten vloer hebt, kun je buiten voor vlonders kiezen. Liggen er binnen plavuizen, kies dan een vergelijkbare tegel voor buiten. Heeft het materiaal een dessin, pas hetzelfde dessin dan in dezelfde richting ook buiten toe.

Dezelfde materialen binnen en buiten?

Wees voorzichtig met het gebruik van precies dezelfde materialen. Vaak zullen ze buiten eerder verweren en zien ze er binnen een jaar volledig anders uit dan binnen.

2. Kleur en dessin

Als je buiten dezelfde kleuren en dessins toepast als binnen, is het ook makkelijker om van beide een geheel te maken waardoor de ruimte groter oogt. Bijvoorbeeld:

- Verf de wanden buiten dezelfde kleur als binnen.
- Gebruik voor de zonneschermen dezelfde stofdessins als die van de lampenkappen binnen.

- Meubelkleuren kun je in beide gedeelten terug laten komen.

3. Overkappingen als verbinding

We hebben in ons land zo weinig licht, dat een overkapping aan huis het daglicht dat door de ramen naar binnen valt te veel belemmert. Maar als je dit geen probleem vindt, kies dan voor staaldraden of dunne houten latten en een weelderige klimplant, die in de zomer wat extra schaduw geeft, maar het licht in de winter goed doorlaat. Het effect van de overkapping is dat de plafondlijn van de kamer van binnen naar buiten toe doorloopt, waardoor alles ruimer oogt.

4. Decoratieve elementen lopen door van binnen en buiten

- Echt spannend wordt het als je een waterstroom van binnen naar buiten laat lopen. Als je dit soort geultjes van onderaf belicht en in het donker laat weglopen, vormen ze een adembenemende blikvanger.
- Door hetzelfde soort en type verlichting te gebruiken kun je het onderscheid tussen binnen en buiten ook laten vervagen. Hierdoor lijkt de ruimte één geheel.
- Dezelfde plantenbakken, op gelijke afstanden van elkaar en van onderen belicht, kun je in een lijn plaatsen die van binnen naar buiten loopt.

Geometrisch versus informeel ontwerp

Als strakke lijnen, sterke geometrische vormen en symmetrie je inspireren, krijg je een heel ander terras dan eentje die op informele vormen, losse lijnen en asymmetrie is gebaseerd.

Hoe krijg je een geometrisch ontwerp
1. Sterke, eenvoudige lijnen

- Dit werkt vaak het beste in een stedelijke omgeving, waar er sterke lijnen rondom het terras zijn.
- Je krijgt snel een formele tuin met sterke, structurele onderdelen.
- Gebruik wintergroene planten om de structuur van de bestrating en het ontwerp te versterken. Geknipte buxus, taxus en bamboe geven het hele jaar door structuur aan de tuin en zorgen in grote mate voor zichzelf.

2. Symmetrie

Een manier om symmetrie te creëren is om een centrale as te vinden en aan weerszijden hiervan kamers te maken.

3. Herhaling

Gebruik terugkerende patronen om het ontwerp een geometrisch karakter te geven. Een ritmisch patroon van plantenbakken of hangplanten zorgt voor een mooi structureel, architectonisch element in je ontwerp.

4. Minimalistisch

Als je alle rommel uit je tuin haalt en kiest voor een strakke, geometrische indeling, dan wordt het al gauw minimalistisch.

Minimalistische tuinen

Deze doen het erg goed op dakterrassen en balkons. Ze hebben een eenvoudige en heldere uitstraling, die perfect past bij een stedelijke omgeving, maar tegelijkertijd is de opbouw geordend en rustig. Het is een plek waar je na kunt denken over een enkel blad of de manier waarop het licht op een muur valt.

Ze zijn ook heerlijk onderhoudsvriendelijk – een borstel erover en ze zijn zo goed als nieuw.

Hoe maak je een minimalistisch terras?

- Minimalistische terrassen hebben een mooi, uitgebalanceerd ontwerp met een sterke opbouw.
- Als het terras aan de zijkanten te open is, ziet het er leeg uit, dus misschien moet je muren plaatsen om ruimtes te omsluiten.
- De verhoudingen van deze ruimtes moeten precies kloppen en het is van belang om goed na te denken over hoe je de ruimtes aanlegt. De strakke lijnen van muren of één soort plant als bamboe, doen het vaak goed.
- Voeg niets aan de indeling toe, tenzij het echt noodzakelijk is, en denk goed na voor je dit doet.

Minimalistische tuinen doen het erg goed op dakterrassen en balkons

1. Je hebt slechts een paar planten nodig, dus het werkt prima met een beperkte hoeveelheid grond. Een mooi gevormde boom of bamboe volstaat soms al.

2. De kracht van minimalisme zit in de afscheidingen. Om de verhoudingen goed tot hun recht te laten komen heb je een omheining nodig. Grote muur- en vloeroppervlakken werken het beste.

3. Deze grote vlakken van muren en vloeren zorgen ook voor prachtige schaduwen – zowel van het sterke zonlicht op het dak als van het kunstlicht 's avonds.

4. Zitplekken zijn bij minimalisme vaak lastig en je kunt het beste voor vaste banken kiezen die de indeling versterken. Dit soort zitmeubels zijn ook ideaal voor een dakterras, want ze kunnen niet wegwaaien en onder de klep kun je spullen opbergen.

Informeel

Je kunt op een dak een informele tuin hebben, maar vanuit ontwerpoogpunt past het niet zo goed bij de omstandigheden als, zeg maar, een minimalistische tuin.

Als je iets minder formeels wilt, zou ik de vormen sterk en strak proberen te houden, maar ze met de dingen en vormen die je eromheen zet proberen te verzachten. Gebruik bijvoorbeeld...

- Grote groepen planten
- Rustieke materialen
- Afgesloten gedeelten
- Kleurrijke kussens
- Gekleurde lichtjes of theelichtjes

ER EEN GEHEEL VAN MAKEN

Waar je je inspiratie ook vandaan haalt, als je haar in je tuin gaat toepassen, creëer je er aparte ruimtes mee. De kunst van tuinontwerp is het maken van ruimtes.

De ruimte opdelen

Een dakterras of balkontuin is meestal een echte buitenkamer. Doorgaans is hij kleiner dan de gemiddelde tuin, heeft (hopelijk) een stevige vloer en kan aan twee of meer kanten muren hebben, een soort kamer dus. Hoe zou je zo'n ruimte binnen indelen en aankleden? Het zou niet mooi zijn om gewoon hier en daar een paar banken en tafels neer te zetten.

Binnen zou je automatisch een zitgedeelte en misschien een eetgedeelte maken, en als deze delen eenmaal zijn bepaald ga je ze aankleden en verlichten. Buiten gelden eigenlijk dezelfde regels.

Dit is waarschijnlijk de eerste, laatste en enige regel bij het ontwerpen van een tuin die je in gedachten moet houden.

Deel de ruimte op, maak zones, zet niet lukraak wat dingen neer en gebruik sterke vormen om de kamers te maken. Natuurlijk moeten deze kamers binnen de grenzen worden aangelegd, maar ze hoeven ze niet te volgen. Het is belangrijker om een goed gevormde kamer te maken, dan de leefruimtes op de buitengrenzen af te stemmen.

Alle boeken die het hebben over 'tuinkamers' of de 'buitenkamer' gaan in op iets fundamenteels bij de aanleg van een tuin. Als je ruimtes maakt binnen de grenzen van je terras en deze ruimtes omtovert tot mooie kamers, en misschien de ruimte langs de randen opvult met planten, krijg je vrijwel zeker een sterk ontwerp.

Kamers — waarom?

Naast het feit dat je mooie ruimtes maakt om in te zitten, heeft deze manier van ontwerpen ook veel voordelen voor de indeling van het terras.

1. Maak kamers voor verschillende doelen en de ruimte krijgt een functie

Als je dakterras of balkontuin groot genoeg is, kun je kamers voor verschillende doeleinden maken, zoals een zitkamer, eetkamer, studeerkamer, jacuzziruimte. Zelfs als ze niet helemaal zijn afgeschermd, kunnen lage afscheidingen je wel dat kamergevoel geven.

2. Creëer mysterie en verrassing

Een ruimte die je in een oogopslag helemaal kunt overzien is veel minder interessant dan eentje die je moet ontdekken. Bij een kleinere ruimte zoals een terras, zijn er minder verrassingsmogelijkheden, maar zelfs een eenvoudige trellis die tot halverwege doorloopt, kan iets mysterieus hebben en uitnodigend werken.

3. Beschutting

Hier wordt het ontwerp echt slim. De kamers ontstaan ook door verticale afscheidingen, die de ruimte niet alleen definiëren, maar ook voor beschutting tegen de wind zorgen. Maak, als je een mooi uitzicht hebt, een gat in de muur als raam.

4. Verstop dingen

Je kunt afscheidingen gebruiken om dingen als schotels, opbergruimtes of een slecht uitzicht aan het oog te onttrekken.

5. Blikvangers

In de kamers kunnen blikvangers staan die het oog erin trekken en laten rusten. Je kunt een blikvanger het beste achter een ingang naar een kamer plaatsen.

6. Maak looprichtingen

Als je mensen aanmoedigt om het terras te gaan ontdekken en ze bij de hand neemt, zelfs al is het maar van de ene naar de andere afscheiding, dan lijkt de plek groter en interessanter dan een terras dat je in één keer kunt overzien.

7. Verberg de totale vorm van het terras

Dit is vooral van belang als de vorm onplezierig is. Een lang terras dat aanvoelt alsof je in een gang zit, wordt een stuk prettiger als het wordt opgedeeld in kleinere ruimtes met betere verhoudingen.

Muren en vloeren

Als je hebt bepaald waar de afscheidingen of nieuwe kamers moeten komen, is de volgende vraag: hoe maak je ze? Zowel de verticale als horizontale elementen van het terras helpen mee bij het creëren van de ruimtes.

Verticale elementen

Grenzen

Op het dak of het balkon heb je te maken met buitengrenzen en afscheidingen. Beide hebben dingen met elkaar gemeen, maar de buitengrenzen hebben uiteraard te maken met veiligheidsaspecten die bepalend zijn voor de aanleg en uitstraling.

Specifiek voor buitengrenzen

1. Zijn ze er al en zijn ze veilig?
2. Lokale regelgeving kan verschillen, vraag dit na.
3. Schakel bij twijfel een professional in.
4. Veiligheid is voor de afscheidingen het belangrijkst. Ze moeten hoog en sterk genoeg zijn om ongelukken te voorkomen.
5. Ze moeten ook beschutting geven tegen de wind.
6. Het water moet er goed vanaf kunnen lopen.
7. Als de afscheiding alleen functioneel en niet erg mooi is, kun je aan de binnenkant een scherm maken dat een stuk decoratiever is (met de gebruikelijke waarschuwingen over gewicht en drainage).

Bouwbesluiten

De hoogte van elke permanente afscheiding wordt bepaald door het bouwbesluit. Informeer hiernaar bij je gemeente.

Schermen – 9 praktische punten

1. Afscheidingen hoeven niet boven oogniveau te komen om effectief te zijn – tussenafscheidingen kunnen vrij laag zijn en ervoor zorgen dat je door de verschillende ruimtes kunt kijken, maar toch het gevoel van aparte kamers hebt.

2. Maar voor de privacy heb je natuurlijk hogere schermen nodig.

3. Planten als bamboe, bomen, grote struiken of hagen, laag en hoog, kunnen ruimtes opdelen.

4. Als je een haag aanplant geldt dat hoe groter je planten, des te eerder je effect bereikt. Maar zorg dat ze stevig staan. Een hoge, nieuwe haag heeft vaak hulp nodig om overeind te blijven.

5. Als je een massief hek of stevige muur hebt, zal de wind ertegen opklimmen en eroverheen vallen – ze zorgen voor turbulentie. Iets minder massiefs zal de wind afremmen en een effectievere windbreker zijn.

6. Hekken en trellissen zijn vaak beter geschikt voor de beperkte draagkracht van een dak, en omdat ze open zijn, vormen ze ook een betere windbreker.

7. Als je toch massieve panelen gebruikt, maak dan open tussenruimtes.

8. De verticale elementen moeten stevig verankerd zijn, maar wees voorzichtig dat je het dak niet beschadigt.

9. Denk na over de toegankelijkheid: lange stukken hout passen misschien niet in de lift of het trapgat.

De wind kan door dit scherm heen waaien, waardoor hij afneemt in plaats van te worden tegengehouden.

Je kunt aan je afscheiding je eigen stijl geven, zoals met een stuk canvas.

Materialen en stijlen

Als je tuin een thema heeft, en waarschijnlijk is dat zo, al is het maar een subtiel thema zoals 'modern', dan is dit van invloed op de stijl van de verticale elementen.

Soort	Stijl
Hek van latten, geverfd in kalktinten	Scandinavisch of kustsfeer
Plaatgaas, geperforeerd metaal, platen van koper, staal	Ultramodern. Roestvrij staal blijft glanzen; gegalvaniseerd zal het een grijs patina krijgen; koper wordt mat groen
Geverfd multiplex of latten, herhaald patroon van moderne bakken met planten	Strak en modern
Trellis, taxushagen, gevlochten bomen, herhaald patroon van klassieke, terracotta potten met planten	Klassiek formeel
Leifruitbomen, grote struiken	Landelijk, informeel
Bamboe en geweven wilg	Japans – deze zullen elk paar jaar verplaatst moeten worden
Canvas schermen, strakgetrokken als een zeil	Nautisch en kleurrijk
Glazen schermen in een roestvrij-stalen frame	Voor een maximaal uitzicht en een moderne uitstraling
Doorschijnende vellen policarbonaat in een stalen frame	Speels en modern, ze zorgen voor interessante schaduwen en kleuren

- Deze verticale elementen delen de tuin niet alleen op. Net als muren in huis kun je er verlichting of decoraties – muurschilderingen, mozaïeken en waterelementen – aan hangen.
- Het is ook leuk om te experimenteren met nisjes of zichtpunten op de rest van de tuin of de buitenwereld.

Verticale structuren

Deze kunnen dienen als decoratie, berg-plek, beschutting tegen de wind of om schaduw op het dak te creëren. Ze sluiten aan op de verticale grenzen op het dak en moeten daarom in het ontwerp worden verwerkt.

Schaduwluifels Zonneschermen zien er mooi uit en passen bij de uitstraling van veel daktuinen.

Houten prieel Dit past beter bij een klassieke, informele tuin.

Tenten zijn erg trendy Makkelijk op te zetten en te onderhouden en ideaal voor etentjes en relaxmomenten.

Bogen Als ze van hout zijn ogen ze klas-siek, van metaal zien ze er moderner uit. Zowel hout als metaal zorgen voor een verticaal element waartegen je planten kunt laten groeien.

Pergola's Overdekte looppaden bakenen bepaalde gedeelten af en zorgen voor een beschutte, schaduwrijke, droge plek om te zitten en te lopen.

Prieel/tuinhuisje Hoe je dit ook noemt, het is prettig om iets te hebben dat dicht, verwarmd en verlicht is, maar zorg voor veel glas, zodat je het huisje het hele jaar door kunt gebruiken en lekker buiten kunt zijn.

Inlijsten...

De meeste mensen die een mooi uit-zicht hebben, willen er onbelemmerd van kunnen genieten en geef ze eens ongelijk. Als je een prachtig uitzicht over de stad hebt, is het lastig om te zien hoe je dat nog verder kunt verbeteren, maar meestal moet dit wel lukken. Een mooi uitzicht heeft veel impact, maar als je er een lijst omheen maakt, benadruk je het nog meer. Het loont de moeite om goed over je uitzicht na te denken.

Vloeren

Dit is een van de belangrijkste onderdelen van je ontwerp en wordt vaak over het hoofd gezien. Op een dak moet je als eerste de praktische kanten van een vloer bekijken, zoals het gewicht van de materialen en of je ze op het dak krijgt. Kijk dan naar de visuele kant – de verkeerde vloer kan het verkeerde signaal afgeven.

Ga terug naar het thema of de sfeer die je op je terras wilt creëren en denk na over hoe strak je hieraan wilt vasthouden. Modern en licht, Japans, klassiek? Kijk ook naar de vloer binnen. Als deze lijkt op je buitenvloer, dan kun je dit als uitgangspunt nemen en verdergaan met dezelfde soort materialen en patronen.

Ontwerp

Patronen

De manier waarop je de vloer legt of verdeelt, is van invloed op de rest van de ruimte.

- Sterke lijnen trekken je aandacht.
- Als de ruimte breder moet lijken en het oog moet niet te snel naar het uiteinde worden getrokken, leg de planken dan dwars.
- Kleine onderdelen – bakstenen of kleine tegels – ogen luchtiger en speelser.
- Minder verschillende dingen zorgen, vooral in een kleine ruimte, voor meer eenheid. Als je verschillende patronen, kleuren en materialen gebruikt, oogt het al snel rommelig en benauwd.

Materialen

Zware materialen, zoals natuursteen en plavuizen zijn bij een beperkte belastbaarheid niet mogelijk, maar ook niet als de ondergrond niet vlak is of als het lastig is om materialen naar boven te krijgen. Over het algemeen zijn vlonders ideaal voor een terras.

Natte vloeren worden glad...

Elke massieve vloer wordt, als hij in de schaduw ligt en niet goed opdroogt, bij nat weer glad.

Vlonders

Voordelen

- Het is een zwevende vloer dus
  - verbergt hij oneffenheden
  - vangt hij niveauverschillen op
  - creëert hij spannende niveau-verschillen
  - verbergt hij kabels en bedrading
- De vlonders zijn licht en makkelijk naar het dak te brengen
- De vlonders zijn relatief goedkoop
- Als er een probleem met het dak is zijn de planken vrij eenvoudig op te tillen
- Planken zijn makkelijk op maat te zagen en je kunt ze om de schoorsteen leggen
- Hardhout, zoals ipé, wordt na een tijdje buiten ietwat grijs, waardoor het erg natuurlijk oogt
- Je kunt verlichting goed wegwerken en LED-verlichting gebruiken

Nadelen

- Hardhout is soms niet milieuvriendelijke gewonnen – zorg dat het uit verant-woord beheerde bossen komt en het FSC-keurmerk draagt
- Vlonders zijn soms lang en kunnen daardoor niet in een lift of via de trap naar boven
- Als je hout verft of beitst, moet je dit regelmatig opnieuw doen
- Als er te lang water op blijft liggen kan het te glad worden

Laat het water goed wegstromen...

Zorg dat de drainage goed is en niet door de vlonders wordt geblokkeerd.

Natuursteen

Natuursteen oogt een stuk klassieker en is verkrijgbaar in allerlei soorten en afwerkingen.

De belangrijkste nadelen van natuursteen:

- duurder
- zwaarder
- kan glad worden

Laat het ademen...

Temperatuurveranderingen doen het oppervlak werken. Bestrating die vast op het dak ligt, kan gaan barsten. Gebruik flexibele voegen op gelijke intervallen.

Natuursteen	Belangrijkste eigenschappen	4
Kalksteen	Het grootste probleem van kalksteen is dat het vlekt. Frans kalksteen is minder poreus, waardoor de lichte kleur beter bewaard blijft.	
Marmer	Duur, maar erg duurzaam en verkrijgbaar in allerlei kleuren.	
Graniet	Verkrijgbaar als ruwe keien of gepolijste plavuizen.	
Leisteen	Gespleten (op natuurlijke wijze gebroken) oogt het klassiek. Gezaagd is het modern.	
Grind	De goedkoopste optie – goedkoop in aanschaf, goedkoop om te leggen.	
Grind met kunsthars	Duurder dan los grind, maar oogt stijlvoller en het grind blijft op zijn plek.	
Kiezels, stenen	Combineer met grind en je krijgt een interessante textuur.	
Tegels	Het aanbod aan tegels is enorm en ze zijn erg geschikt voor het terras– je maakt de overgang tussen binnen en buiten minimaal.	
Rubbertegels	Voor een grappige, moderne tuin.	
Kunstgras	Sluit dit niet uit – kunstgras lijkt steeds echter en het kan een prima oplossing zijn voor een terras of balkontuin.	
Industriële vloer	Vloeren die voor werkplaatsen zijn ontwikkeld, kunnen een erg spannende en modern ogende optie zijn: plaatgaas, opengewerkt of geperst metaal of fiberglas. Houd er wel rekening mee dat metaal warm wordt in de zon.	

Planten-
bakken

D akterrassen en balkons
verschillen enorm in grootte,
ligging en stijl – het enige
wat ze gemeen hebben is dat ze niet
op de grond liggen, waardoor er van
nature geen aarde aanwezig is. Alle
planten zullen het moeten doen met
grond of een ander middel dat kunst-
matig is aangebracht.

Je kunt dit op drie manieren doen:

Bakken – losse exemplaren, meestal verplaatsbaar, met potgrond.

Verhoogde bedden – vaste bedden die meestal groot genoeg zijn om dezelfde groeicondities te bieden als een bloembed op de begane grond.

Een groeimiddel – dit zijn hightech substraten die vaak speciaal voor daken zijn ontwikkeld. Meestal zijn ze voor lage planten maar een paar millimeter dik, maar als je meer soorten planten wilt gebruiken, kun je dikkere uitvoeringen kiezen. Het gebruik van planten over het grootste deel van het dak wordt meestal een 'groen dak' genoemd (zie hoofdstuk 10).

Het verbaast me steeds weer dat mensen die niet van tuinieren houden en die echt een onderhoudsvriendelijke tuin willen, toch bakken in hun tuin neerzetten. Waarom houden mensen van bakken? Ze lijken eenvoudig, je weet wat je aan ze hebt en je hoeft er maar een paar seconden naar om te kijken, maar het belangrijkst is misschien wel dat je er lekker voor kunt shoppen. Je kunt de bakken kopen, de planten kopen en als ze dood gaan mag je opnieuw planten kopen.

Voordelen van planten in bakken

- Erg weinig onkruid – de grond is schoon en er is weinig grondoppervlak waarop onkruid kan groeien.
- Makkelijk in bedwang te houden – meestal zijn ze klein, dus je kunt ze goed bijhouden.
- Je kunt er een mooi stilleven van maken.
- Je kunt ze verplaatsen – je kunt het geheel variëren met de seizoenen.
- Om gedeelten boven de grond te verlevendigen – omdat ze hoog zijn, zijn de planten hoger dan als ze in de grond worden geplant.
- Om vervelende delen aan het oog te onttrekken – ze vormen een perfecte afscherming.

Nadelen

- Ze zijn niet onderhoudsvrij.
- De planten hebben water en voeding nodig.
- Als ze niet genoeg gewicht hebben, vallen ze om.
- Als ze wel zwaar zijn kunnen ze, geplaatst op de verkeerde plek, voor problemen zorgen.

Ontwerpen met bakken

Bakken gebruiken

Als je bakken met een doel neerzet, zien ze er meestal beter uit. Alsof ze in de tuin thuishoren en er niet lukraak zijn neergezet. Dit zijn een paar mogelijkheden...

1. Om een muur te doorbreken – een lange muur kan er saai en een beetje benauwend uitzien. Zet een aantal grote bakken op een rij, eventueel 's avonds van onderen verlicht, en het ziet er compleet anders uit.

2. Om een ingang te benadrukken – bakken aan weerszijden van de ingang zien eruit alsof ze er thuishoren.

3. Om een gebied af te bakenen – je kunt er kamers mee maken en gedeelten binnen de tuin mee benadrukken.

4. Als afscherming – de extra hoogte die een bak geeft aan elke plant zorgt voor een hogere afscheiding.

5. Als blikvanger – een bak waarnaar je oog wordt getrokken, zorgt voor ruimtelijkheid. Hij moet groot genoeg zijn om op te vallen en in verhouding zijn met de ruimte.

Ontwerptips

- Houd het bij twijfel bij één soort plant per bak – dit ziet er waarschijnlijk stijlvoller uit en vergt minder onderhoud.
- Grotere potten maken meer indruk en hebben minder water nodig.
- Gekleurde bakken – denk na over de combinatie van de kleur met het blad en de bloemen van de plant.
- Denk na over de grootte en verhoudingen – van de bak in de ruimte en van de plant in de bak.
- Terugkerende potten en planten zorgen voor een mooie uitstraling.
- De vorm van opvallende planten wordt versterkt als je ze in een bak zet.
- Als een ruimte niet in balans is, bijvoorbeeld omdat er aan een kant een zitgedeelte is, heb je aan de andere kant iets nodig om het zicht in evenwicht te brengen. Dit kun je onder meer met bakken doen.
- Zorg voor symmetrie, ritme en orde. Door een aantal dezelfde bakken in een rij te plaatsen, krijgt je ontwerp symmetrie en oogt de ruimte ordelijk. Ze moeten vrij groot zijn om de uitstraling te bepalen, maar ze kunnen bijdragen aan een minimalistische, moderne look.

Praktische tips

Bakken moeten:

- vocht in de aarde vasthouden.
- goed draineren – gaten in de bodem van de pot zijn dus essentieel.
- tegen vorst en hoge temperaturen kunnen. Door de vorst/dooi-cyclus gaan veel potten barsten omdat er water in openingen komt en als dit bevriest 'spatten' ze uit elkaar.

Bakken op 'poten' zullen:

- de drainage bevorderen.
- het minder makkelijk maken voor slakken om bij de plant te komen.
- het rottingsproces op het dak voorkomen.
- voorkomen dat de wortels vanuit de pot in het dak groeien.

Pas op voor natte grond...

Natte aarde is heel zwaar. Een grote plantenbak vol aarde kan, als hij niet zorgvuldig is neergezet, na een paar dagen van fikse regen problemen aan het dak veroorzaken.

Welke planten kunnen in bakken staan?

Ik zou zeggen 'alles', maar er zijn planten waarmee je voorzichtig moet zijn.

Probleem	Oplossing
Erg dorstige planten met grote bladeren	Installeer een automatisch bevloeiingssysteem.
Hoge planten met eerst veel stam, voordat je bij de bladeren en bloemen bent	Gebruik een grotere pot dan je normaal zou doen en vul die maar voor de helft met potgrond, zodat de stamgedeelten van de plant in de bak vallen en je alleen het blad en de bloemen ziet.
Erg grote planten of bomen	Geniet er een paar jaar van en vervang ze als ze te groot voor de pot worden (je kunt de wortels inperken, maar het is makkelijker om opnieuw te beginnen).

Soorten bakken

Welke bak je kiest is persoonlijk en wordt bepaald door de sfeer die je wilt. Denk goed na over de nadelen van elk soort...

- **Terracotta potten** Gevoelig voor vorst, geschikt als je ze in de winter op een beschutte plek kunt zetten.
- **Hout** Omdat de bakken voortdurend nat worden en vervolgens uitdrogen, gaan ze snel rotten.
- **Metaal** Hierin kunnen de wortels van de plant oververhit raken. Zorg dus dat ze dubbelwandig zijn.
- **Op maat gemaakt** Kunnen ruimtes beter creëren en definiëren dan een losse bak, maar ze zijn duur.
- **Verhoogde bedden** Ook op maat gemaakt en een maat groter dan een bak. Dus ze zijn zwaar en duur...

Strak modern   Minimalistisch   Cottagetuin   Stijlvol   Mediterraan

Verhoogde bedden

Verhoogde bedden zijn vooral grote, vaste bakken en net als voor 'gewone' bakken, geldt: hoe groter, hoe beter. Dit geldt voor het onderhoud (ze drogen minder snel uit), maar veiligheid moet op de eerste plaats staan en groter betekent zwaarder, en ze zijn inderdaad zwaar, vooral vol met natte aarde. Controleer dus bij een architect of bouwkundig ingenieur wat het gewicht mag zijn.

Oplossingen voor het gewichts-probleem

1. Controleer de plekken samen met een architect of bouwkundige.
2. Stop niet de hele bak vol met potgrond, maar gebruik onderin perliet of een ander licht materiaal.
3. Zorg dat de drainage van de bakken goed is en dat het water naar de drainagepunten op het dak kan lopen.

Ontwerp met verhoogde bedden

De plek van de verhoogde bedden is erg belangrijk, want ze vormen de basis voor je tuinontwerp. Hopelijk heb je de vorm al in de ontwerpfase bepaald zodat ze:

- bouwkundig op de juiste plek staan.
- afscheiding bieden.
- helpen ruimtes te maken.
- een mooie achtergrond voor de tuin vormen.

Waar maak je ze van?

Waterbestendig multiplex is een goede keuze, met een metalen rand zien ze er robuust uit. Ze zijn vrij licht, duurzaam en makkelijk te beplanten.

Irrigatie

Het is grappig, maar bij het tuinieren in bakken ben je de helft van de tijd bezig met zorgen dat het water erin blijft en de andere helft van de tijd met de drainage – maar zo gaat het nou eenmaal. Te veel, en het water blijft onder in de pot zitten, waardoor de wortels gaan rotten. Te weinig water of het loopt te snel weg, en de plant gaat dood.

Water geven

1. Met de hand. Dit kan en veel mensen vinden het een ontspannende bezigheid. Maar als je in de zomer op vakantie gaat, kan dit een probleem zijn.

2. Een druppelslang doet het goed op een terras. Draai de kraan open en het water wordt vanzelf over de tuin verdeeld. Waar dat nodig is zitten er gaatjes in de tuinslang, waardoor het water eruit kan sijpelen. Dit is makkelijk aan te leggen, maar je moet de slang aan het zicht onttrekken. Dit kan onder een vlonder of langs scheidingsmuren. Er zijn ook timersystemen te koop, waarmee de slang aan en uit wordt gezet.

3. Veel bakken hebben in hun bodem een soort reservoir. Dat moet steeds vol zijn, maar dit hoef je minder vaak te doen dan een pot zonder zo'n reservoir.

Hoe groter de bak of het verhoogde bed, des te minder vaak je water hoeft te geven.

Praktische tips voor water geven

1. Zorg voor een goede drainage van de potten – maak gaten in de bodem als die er niet in zitten. Als het water niet weg kan stromen blijft het onder in de pot zitten en gaan de planten-wortels rotten.

2. Om het water efficiënter te laten weglopen, kun je stukjes polystyreen of grote kiezels onder in de pot leggen. Dit is het advies dat altijd wordt ge-geven, maar ik ben wat sceptisch. Als je een grote bak hebt en je wilt potgrond besparen en iets lichters onderop leggen, dan is dit een goed idee, maar over het algemeen denk ik niet dat dit de drainage bevordert.

3. In potten van klei verdampt het water. Om dit te voorkomen kun je de binnen-kant van de pot met dik plastic bekle-den (bijvoorbeeld van je zak potgrond). Hierdoor blijft het water er langer in zitten.

4. Mulchen – dit is een laag materiaal (grind, kiezels of wat maar ook) die je boven op de aarde legt. De theorie is dat hierdoor de grond niet uitdroogt en verdamping vermindert. Dit kan wel zo zijn (ik ben weer sceptisch, want je vervangt gewoon een laag potgrond door iets anders en beide drogen uit in de zon), maar het maakt zeker verschil voor de manier waarop de pot eruitziet. Als je niet graag naar kale aarde kijkt, is dit een prima idee.

5. Waar gaat het water naartoe nadat het uit de pot is gelopen? Als je tegels hebt, dan krijg je waarschijnlijk vlek-ken. Een schoteltje onder de potten zetten helpt, maar je moet ze regel-matig leeg maken, zodat ze niet over-stromen of een broedplaats voor muggen worden.

6. Watervasthoudende korrels zuigen het vocht op en laten het langzaam los als de grond eromheen uitdroogt.

Bakken beplanten

Praktische tips

1. Gewone aarde – kun je beter niet in bakken gebruiken want het:

- is erg zwaar
- houdt het water niet goed vast, droogt snel uit
- zit waarschijnlijk vol onkruidzaadjes
- kan ziektes bevatten
- heeft waarschijnlijk te weinig voedingsstoffen
- heeft een variabele kwaliteit.

2. Het is het makkelijkst om speciale potgrond te gebruiken voor *hanging baskets* of voor bakken. Deze grond is ontwikkeld om het water vast te houden, is schoon en heeft voldoende voedingsstoffen.

3. Potgrond rechtstreeks uit de zak is droog en wordt als hij nat is veel zwaarder, waardoor de belasting van het dak toeneemt.

4. Potgrond dikt de eerste maanden in en je zult de bakken moeten bijvullen.

5. Als je een nog lichtere potgrond nodig hebt, kun je hem met perliet of een ander lichtgewicht materiaal mengen. Niet te veel, want dan wordt de grond te arm voor de planten – 20 procent opvulmiddel is het maximum.

6. Zorg dat de bak groot genoeg is voor de plant. Hij moet voldoende potgrond kunnen bevatten om de plantenwortels in de winter tegen de vorst te kunnen isoleren en om een gezonde groei te bevorderen.

7. Houd de plant in zijn pot als je voor een grotere bak gaat en met potgrond op de bodem begint. Je kunt de plant er zo makkelijker in en uit halen om te zien wanneer hij op de juiste hoogte staat.

8. Als je een bak gaat beplanten, zorg dan dat de plant niet gelijkstaat met de bovenrand van de pot, maar zet hem een paar centimeter lager. Dit ziet er beter uit (je kunt hiermee spelen; heb je een plant op stam, dan kun je die echt laag planten, zodat alleen de bloemen boven de rand uit komen), maar je hebt zo ook de ruimte om water te geven zonder dat alles overstroomt.

9. Zorg ervoor dat het grondniveau gelijk is aan dat van de oorspronkelijke pot. Is dit hoger, dan komen de wortels met lucht in aanraking, lager en de wortels zitten te diep voor het water.

10. Je kunt de wortels iets uit elkaar trekken, waardoor ze beter naar buiten groeien, maar wortels zijn afhankelijk van kleine haartjes aan de zijkanten die hun werk moeten doen en persoonlijk denk ik dat als je de wortels zo aanraakt, dit ze geen goed doet. Ze moeten water en voedingsstoffen vinden – ze hebben onze hulp niet nodig om dit voor elkaar te krijgen.

Een bak beplanten

Emma Plunket van Plunketgardens is gespecialiseerd in stadstuinen en gebruikt vaak bakken voor de dakterrassen die ze ontwerpt. Dit zijn haar tips voor het beplanten van bakken.

Stap 1 Controleer of de bak een drainagegat heeft. Vul de bodem met een lichtgewicht materiaal, zoals perliet, om de drainage te bevorderen en het gewicht te beperken. Dit is op daken en bij grote bakken van belang.

Stap 2 Bedek het gat met geotextiel (of een doek) om te voorkomen dat de potgrond uit het gat loopt of het blokkeert.

Stap 3 Dan komt wat potgrond. Zorg dat de grond geschikt is voor gebruik in bakken. Veel fabrikanten brengen een speciaal mengsel op de markt.

Stap 4 Houd de plant die je wilt gebruiken in de pot, zodat je hem makkelijk rond kunt draaien en passen. Planten hebben een voor- en achterkant. Zorg dat de beste kant naar voren staat.

Stap 5 Als je voldoende potgrond onderin hebt gedaan om de plant bijna tot aan de rand te laten komen, neem je de plant uit zijn pot. Zet hem op de aarde en vul op met meer potgrond.

Stap 6 Zorg dat alles goed is aangedrukt en geef dan water.

Stap 7 Zorg dat je een klimplant meteen in de goede richting leidt, door de lange uiteinden op te binden aan draden op de muur.

Water-elementen

W il je water in je tuin? Nou, het is meer werk, zwaarder en duurder, maar aan de andere kant kan het erg sfeerverhogend zijn. Er zijn met water zo veel mogelijkheden: stilstaand of bewegend, van de muur lopend of een vijver, modern of klassiek. Het is een goed idee om je voor je begint eerst een paar vragen te stellen. Op basis van de antwoorden kun je een element kiezen dat bij je past en er te gek uitziet.

Wat voor soort water?

Een paar vragen...

Wil je stilstaand of beweging?

- Stilstaand water weerspiegelt de lucht en zorgt voor een rustgevende sfeer. Een weerkaatsend bassin bijvoorbeeld, kan erg effectief zijn, vooral als hij zo is aangelegd, dat hij vanuit huis of een rustig zitgedeelte zichtbaar is. Om de weerkaatsing maximaal te maken moet het bassin zo donker mogelijk zijn. Een donker doek en zwarte kiezels op de bodem helpen.
- Bewegend water zorgt voor een heerlijk kabbelend geluid, vangt het licht en geeft het terras beweging.

Als het beweegt, wil je dan het geluid van vallend water of een sproeier?

- Sproeiers en fonteinen vangen het licht. Het is goed om na te gaan waar je dit het beste zult zien en waar de zon zich bevindt. Je kunt de zon het beste van achteren hebben en de sproeier in de zonnestralen.
- Fonteinen, en met name sproeiers, kunnen een probleem opleveren als de wind het water wegwaait voordat het in het bassin terechtkomt. In het ergste geval kan hij overstromen of er ontstaat een plas. Er zijn windsensoren te koop die de sproeier uitzetten als de wind een bepaalde kracht bereikt.

Als je geluid wilt, wil je dan gedruppel of een waterval?

- Een kleine hoeveelheid water klinkt als een lekkend toilet, ik denk dat een flinkere waterval beter is.
- Veel moderne waterelementen hebben een film van water die een mooi en diep geluid voortbrengt.

Wil je vissen?

- Bassins met vissen moeten dieper zijn dan andere soorten bassins – minstens 90 centimeter diep. Dit is om de vissen tegen bevriezend water te beschermen. Dit kan een probleem zijn op plekken waar je niet diep kunt graven of te maken hebt met een beperkte belastbaarheid.
- Samenvattend kun je misschien beter binnen een aquarium nemen.

Wil je het water verlichten?

- Indien mogelijk, verlicht vanuit het water. Dit ziet er beter uit dan van boven, waarbij het licht over het oppervlak schijnt. Hierdoor wordt de viezigheid alleen maar benadrukt.
- Zorg dat de lichtbron niet naar een belangrijk zichtpunt wijst.
- Water en elektriciteit gaan niet goed samen – schakel altijd een professionele elektricien in.

Wil je iets kant-en-klaars of op maat gemaakt?

- Kant-en-klare uitvoeringen die geschikt zijn voor terrassen bestaan uit losse, bovengrondse, dichte eenheden en muurelementen.
- Alles waarbij je de grond in moet, zoals een ondergronds reservoir of bassin, kost iets meer denkwerk. Je kunt vlonders om een vijver heen leggen als je voor je de vloer gaat leggen precies weet welk element je gaat kopen.

Dit waterelement past prachtig in de omgeving. Het element werkt met een watergeul en is volledig in harmonie en verhouding met de omringende tuin.

- Als gewicht en budget het toestaan, kunnen op maat gemaakte water-elementen er te gek uitzien. Er zijn allerlei soorten, maar exemplaren die erg goed werken zijn:
  - geulen, smalle waterkanaaltjes. 's Avonds verlicht zien deze er, als ze als een gracht rondom een zitgedeelte lopen of vanuit huis over het balkon of dak gaan, prachtig uit.
  - verhoogde bassins zijn erg mooi en geven een ruimte stijl. Je kunt de zijkanten ook extra breed maken zodat ze als zitplek dienstdoen.
  - een film van water die uit een soort brievenbus uit de muur stroomt in een bassin eronder, is tegenwoordig een vrij veelgebruikt waterelement dat goed oogt.

Er zijn veel kant-en-klare waterelementen te koop via internet. Je kunt zelfs alle onderdelen krijgen waarmee je zelf een moderne brievenbusopening in de muur maakt.

Tips voor ontwerpen met waterelementen

1. Kies een waterelement dat past bij de stijl van je tuin. Als je een moderne, klassieke of gekke tuin hebt, is er altijd wel iets wat daarbij past.

2. Water moet net als een sculptuur onderdeel uitmaken van het ontwerp en er niet zomaar aan zijn toegevoegd. Denk dus na over een goede plek, voordat je het op je terras plaatst.

3. Het waterelement moet ook in verhouding zijn met de ruimte. Als je een open terras hebt, dan bestaat het gevaar dat het water in de ruimte een beetje verloren lijkt. Probeer niet met de lucht te concurreren, maar maak het element erg opvallend zodat je het in elk geval ziet, of zet het in een meer besloten gedeelte met beperktere afmetingen.

4. Vaak kun je een waterelement deel laten uitmaken van het ontwerp en de verhoudingen goed krijgen met planten eromheen.

5. Water is erg zwaar en de plek is afhankelijk van de belastbaarheid van het dak.

6. Als je een keus hebt met betrekking tot de plek, denk dan na of je het waterelement bij de ingang of verder weg wilt hebben. Het geluid van water in de verte kan mensen de tuin in trekken en hun interesse opwekken, maar als je het te dicht bij het huis of een zitgedeelte zet, creëer je een blikvanger en kun je ook binnen van het water genieten.

TIPS

- Zorg dat de elektriciteit goed wordt aangelegd en dat het waterelement waterdicht is.

- Met chemicaliën kan het water helder worden gehouden, maar pas op dat ze geen planten of dieren doden.

Sculpturen

Beelden en decoraties bepalen de sfeer van een tuin. Meer dan wat ook geven ze de plek persoonlijkheid. Maar als je beelden neerzet, moeten ze binnen het ontwerp passen en er niet aan worden opgedrongen. Het werkt het beste om vooraf aan te geven waar je beelden neer gaat zetten – als blikvanger of als rustpunt voor het oog, of gewoon in een hoekje waar wel wat mag gebeuren. Door dit al in een vroeg stadium te doen, lijken ze echt bij de tuin te horen en er niet zomaar 'in geplakt'.

Er zijn twee manieren om een beeld neer te zetten: op een erg prominente plek of geïntegreerd in de tuin.

Middelpunt

Met een groot beeld kun je een bepaald effect bereiken: een eindpunt voor een zichtlijn, een centraal element in een formele ruimte, een tegenhanger voor een asymmetrische indeling.

Als je dit wilt doen dan...

1. moet de verhouding precies goed zijn. Het moet indrukwekkend genoeg zijn om niet weg te vallen tegen de lucht (tenzij je het beeld op een intieme, kleine plek zet). Maar iets dat daarentegen te groot is, ziet er eigenaardig en buiten proporties uit.
2. moet het er vanuit alle hoeken en op elk moment van het jaar goed uitzien.
3. probeer je eerst een kartonnen mal te maken om te ervaren hoe het beeld er op een bepaalde plek uitziet.
4. kan het een goed idee zijn om het beeld van onderaf te verlichten, zodat je er 's avonds ook plezier van hebt.

Ik moet zeggen dat het geven van een centrale positie aan een beeld of decoratie veel lef vereist. Ik sprak ooit met een curator van een beeldentuin en zelfs zij moeten stukken drie of vier keer verplaatsen voor het perfecte resultaat. Op een terras of een balkon heb je de luxe vaak niet om meerdere plekken te proberen.

Half verstopt

Als het sculptuur niet centraal staat, heb je veel meer speelruimte met betrekking tot de uitstraling, grootte en plek.

1. Als een sculptuur tussen de beplanting staat, zijn de verhoudingen niet zo belangrijk.
2. Als stukken half verstopt staan, kun je er meer kwijt, zonder dat de tuin rommelig wordt. Houd als vuistregel aan dat er als je door de tuin loopt maar één sculptuur tegelijkertijd zichtbaar is (hoewel regels natuurlijk altijd aan je laars kunnen worden gelapt).

TIPS

- Als je voor een groot exemplaar gaat, denk dan na over het gewicht, dat het verankerd en veilig is, en of je het op het dak of terras kunt krijgen.

- Combineer kunst met water om mooie spiegelingen te krijgen. Dit kan erg goed werken als het beeld 's avonds wordt verlicht.

Wat werkt als sculptuur

- Bestel een beeld – het is minder duur om iets van een net afgestudeerde kunstenaar te kopen.
- Gevonden voorwerpen kunnen vaak mooie en goedkope decoraties opleveren.
- Gebruik siersnoei om levende sculpturen te maken.
- Ga op zoek op het internet.

Verlichting

Je kunt met verlichting twee verschillende tuinen creëren: een voor overdag, een voor 's avonds. Je hebt er erg veel plezier van en toch wordt het nog veel te weinig toegepast.

Maar het begint steeds meer te komen.

Mensen denken vaak dat dit komt omdat we steeds meer buiten eten of de avonden warmer worden. Dit speelt misschien een rol, maar de veranderingen die zich buiten het terras afspelen zijn belangrijker...

1. Mensen hebben vaak geen gordijnen meer en als ze deze wel hebben, doen ze ze 's avonds niet meer dicht. We worden ons dus steeds meer bewust van het donker buiten. Interieurontwerp is hierbij van invloed op exterieurontwerp.
2. Nieuwbouw, nieuwe serres en uitbouwen hebben op de begane grond vaak grote ramen. Die zorgen als het donker is voor een zwart gat dat wel wat verlichting kan gebruiken.
3. Dat het aanbod de vraag aanwakkert,

speelt ook een rol. Hoe meer we tuinieren als een kans zien om te shoppen, des te meer producten er op de markt komen om in onze behoeften te voorzien. Hoe groter en toegankelijker het aanbod, des te eerder zijn mensen geneigd om het te kopen.

De gevolgen hiervan zijn dat...

1. Een van de belangrijkste redenen om een terras te verlichten is om van één kant een mooi uitzicht te hebben – vanuit huis. Eigenlijk is het terras 's avonds een podium.
2. Er zijn afstandsbedieningen voor tuinverlichting te koop, dus je kunt de show vanbinnen laten beginnen en eindigen.
3. Er zijn honderden heel mooie lampen te koop.

Ontwerptips – verlichting

1. Houd je in. Verlicht alleen die elementen, die je mooi vindt en laat de duisternis haar werk doen en de rest aan het oog onttrekken.

2. Probeer de lampen iets te laten verspringen als je verder het terras op kijkt. Zo wordt het zicht vanuit huis naar het terras getrokken. Het is eigenlijk een subtiele variant op de landingsbaanverlichting van een vliegveld.

3. Bedenk vanaf waar je het terras zult zien en zorg dat de verlichting er vanaf deze punten goed uitziet. Op een dak of balkon zal het belangrijkste zichtpunt vanuit huis zijn.

4. Het is goed om de lichtbron niet te kunnen zien, want dit kan verblindend werken, dus richt de lamp niet op de zichtpunten.

5. Voor een moderne uitstraling herhaal je de verlichting, denk bijvoorbeeld aan spots op gelijke intervallen langs een muur of een rij plantenbakken.

6. Denk als je muren of andere platte oppervlakken hebt na over het effect dat licht geeft als het erlangs strijkt, of over de schaduwen die kunnen ontstaan.

7. Bewaar je kerstverlichting niet alleen voor de kerstdagen. De lichtjes zien er sprookjesachtig uit als je ze rond om een boomstam wikkelt of in een pergola of tussen boomtakken hangt.

8. Als je geen behoefte hebt aan echte verlichting, ga dan voor een sfeervolle gloed. Verberg de lampen tussen de bladeren en je krijgt gegarandeerd een mooie sfeerverlichting.

9. Er is vrij veel gekleurde verlichting te koop, maar tot nu toe vind ik de kleuren niet echt mooi of subtiel. Als je toch kleur wilt, houd het dan bij twee verschillende tinten. Rood en blauw doen het goed, vooral in een moderne tuin.

TIP

Er is sfeerverlichting voor terrassen te koop, waarmee je de kleuren aanpast aan je humeur.

10. Houd moed, verlichting zorgt voor verbetering. Bijna alles wat je doet en waar je de lampen ook zet, het ziet er beter uit dan duisternis.

TIP

Als je het niet meer weet, kun je een lichtontwerper om advies vragen.

Praktische tips

- Zelfs als je nog geen verlichting installeert op het moment dat je je terras of balkontuin onder handen neemt, zorg wel al voor het nodige leidingwerk, zodat je er later alleen de bekabeling nog doorheen hoeft te trekken.

- Lichten weggewerkt in traptreden of aan de zijkanten van een trap vergroten de veiligheid.
- Verlichting kan het veilige gevoel op je terras versterken.
- Zorg dat je bij een verlichting met een pen het dak niet beschadigt. Je hebt voor gebruik op een dak speciale montagesets nodig.
- De meeste buitenverlichting heeft een laag voltage. Daarom heb je een transformator nodig om het voltage tot 12 of 24 volt om te vormen, zodat je op je terras flexibele kabels kunt gebruiken.
- LED-verlichting is geweldig. Het wordt niet warm en is daardoor veiliger voor kinderen en planten verschroeien niet.

Soorten verlichting

Er zijn twee soorten verlichting: inbouw-verlichting of losse verlichting, zoals lantaarns, kerstverlichting, kaarsen en lampen op zonne-energie.

Zonne-energie

Deze absorberen het zonlicht via een paneel aan de bovenkant en laden zo een batterij op. Er is een wisselwerking tussen helderheid en levensduur van de batterij. Meestal geldt: hoe langer de batterij meegaat, des te zwakker het licht.

Ingebouwd

Als je een elektrisch, ingebouwd systeem wilt, let dan op een paar zaken.

Soorten lichteffecten

Sier – 't draait om hoe het eruitziet.
Gemak – zodat je gebruik kunt maken van het terras.
Veiligheid – zodat mensen niet van de trap vallen.
Beveiliging – zodat inbrekers kunnen zien wat ze doen.

Soorten straal

Smalle spot – 6 tot 12 graden
Spot – 30 graden
Schijnwerper – 30 en 45 graden
Brede schijnwerper – ongeveer 60 graden
Heel brede schijnwerper – 80 graden

Soorten lampen

- **Uplighter** Schijnt naar boven om een richting aan te wijzen, iets te bena-drukken of schaduwen te geven. Dit werkt meestal het beste als de lamp op iets valt, zodat je niet alleen de lucht verlicht. Deze lampen zitten vaak aan een pen vast, maar zorg dat je het dak niet beschadigt.
- **Weggewerkte uplighter** Ontworpen om in de grond te graven of in de vloer te verwerken. Sommige uitvoe-ringen kun je niet verstellen en die schijnen alleen naar boven, in plaats van naar de zijkant om een muur of plant uit te lichten.
- **Muurstraler** Deze is ontworpen om onder aan een muur te plaatsen. Het is een inbouw uplighter met een kap of lens die de straal over een breed, maar gecontroleerd gedeelte van de muur verspreidt.
- **Downlighter** Deze schijnt naar bene-den. Je bevestigt hem dus boven aan een muur en de textuur van de muur wordt erdoor benadrukt. Herhaal dit op gelijke afstanden op een muur en je hebt een mooi lichtspel.
- **Padverlichter** Deze zijn speciaal bedoeld om paden, trappen, terrassen of opritten te verlichten.
- **Ingebouwde padverlichter** Deze wordt op grondniveau gemonteerd, zoals de lampen van een landingsbaan.

Planten

J e kunt in een daktuin alle soorten planten proberen, maar het is beter om eerst over de omstandigheden na te denken. Waarschijnlijk is het er zonnig, vrij droog en als je geen goede windbrekers hebt, kan het er flink waaien.

Topplanten voor terrassen

Groot

Wonderboom Een mooie, wintergroene heester

Sneeuwbal Perfecte, wintergroene plant voor in de schaduw

Haagbeuk Een haagplant die tegen licht droge grond kan

Pruikenboom Mooie, páarse bladeren en speelse bloemen in de late zomer

Bamboe Groot, neemt weinig grondruimte in beslag, wintergroen, stijlvol

Middelgroot

Lupine Prachtig, zilverkleurig blad met in de zomer bloemen

Sabal palmetto Deze palmen zijn er in paarse, oranje en gele tinten

Kruiskruid Grijs blad en gele bloemen

Buxus Laag groeiend en makkelijk in vorm te knippen of om een haag mee te maken

Geraniums Deze sterven af zodra het gaat vriezen, maar in de zomer zorgen ze voor een zee aan kleur

Klein

Kerstroos Mooie, schotelvormige bloemen in hartje winter

Hartlelie Met grote, opvallende bladeren. Sterft af in de winter en komt in het voorjaar terug

Zwarte slingeraar Langzaam groeiende, zwarte, grasachtige plant

IJskruid Je kunt de uitgedroogde bloemen in de winter laten zitten

Cyclaam Laag groeiende bolvormige plant die in de herfst bloeit

Planten voor een mediterrane tuin

Een mediterrane tuin past perfect bij de omstandigheden die je meestal op een dak aantreft. De planten houden van zon en droogte. De twee dingen waar de planten een hekel aan hebben en die je misschien in je tuin hebt, zijn vocht en koude wintergrond. Zorg er daarom voor dat de bakken of bedden goed draineren. Wind kan ook een probleem vormen. Te sterke wind moet je met windbrekers opvangen om de planten te beschermen.

Een van de goede dingen van deze lijst is dat alle planten wintergroen zijn, waardoor je tuin er het hele jaar goed uitziet.

Yucca Een grote plant met stijve, wintergroene bladeren

Olijfboom Langzaam groeiende boom met een grijsgroen blad dat het hele jaar blijft hangen

Lavendel Grijsgroen blad en paarse, geurige bloemen

Aloë Een lagere, opvallender uitvoering van de yucca met doorns op het blad

Druif Je krijgt misschien geen druiven, maar de stammen en bladeren ogen geweldig

Rozemarijn Wintergroen en groter dan lavendel, met vroeg in het jaar paarse bloemen

Salie Een kleine, wintergroene struik met geurig blad

Parasolden Deze wordt uiteindelijk vrij groot, dus je zult de plant op den duur moeten verpotten

Sterjasmijn Wintergroene klimplant met in de zomer geurende bloemen

Zonneroosje Een wintergroene plant met in de zomer roosachtige bloemen

Groene daken

Hoe voller en vervuilder onze steden worden, hoe groter de vraag naar milieuvriendelijke daken. Op grote schaal toegepast kunnen deze een omgeving nieuw leven geven. Op individuele schaal bieden ze een leefomgeving voor insecten en vormen ze een groen raam.

Op dit groene dak worden Sedums gebruikt, de ideale plant voor een dun laagje grond zoals op deze daken.

Meer terrassen...

Technisch bezien is elk dak met iets van groen erop een groen dak en elk groen op een dak heeft voordelen voor het milieu, maar het begrip 'groene daken' verwijst meestal naar een dak dat specifiek is gemaakt voor beplanting.

Sinds 2000 zijn er alleen al in Duitsland 30 miljoen m2 aan groene daken gerealiseerd.

Om een onderscheid te maken tussen groene en andere daken, een paar vaktermen:

- **Intensieve daktuinen** zijn de 'echte' daktuinen – een vrij standaard tuin die toevallig op een dak ligt.

- **Extensieve daktuinen** zijn er vooral voor de planten, meestal vanuit ecologisch oogpunt gerealiseerd. Het hele dakoppervlak is beplant. De tuinen zijn meestal lichter, dus geschikt voor daken die niet zo zwaar kunnen worden belast, en onderhoudsvrij.

Deze standaardindeling gaat soms niet op, omdat het twee typen tegenover elkaar zet, terwijl er raakvlakken zijn. Als het dak het gewicht van mensen kan dragen en het groot genoeg voor hen is, dan is er geen reden te bedenken waarom je de twee soorten niet met elkaar kunt combineren en alle technische en milieuvoordelen benut van de extensieve tuin, die ook nog toegankelijk en prettig is voor mensen.

Ook hier moet je bij elke stap drie punten in gedachten houden:

1. **Structurele belastbaarheid** – zelfs een erg lichte tuin zorgt voor extra gewicht, vooral als hij water vasthoudt.
2. **Waterbestendigheid** – je moet de staat van het dak goed controleren en laat het werk op het dak door een ervaren bedrijf uitvoeren. Houd er ook rekening mee dat het water kan weglopen.
3. **Veiligheid** – de tuin moet voor iedereen die erop gaat veilig zijn. Niets mag dan ook loslaten.

Als je dak een flinke helling heeft, kun je het toch groen maken. Op dit dak zijn dwarsbalken gebruikt die voorkomen dat de planten naar beneden glijden.

Een bloemenweide op een dak is in de zomermaanden een genot en trekt veel dierenleven aan.

V & A

Is aarde of potgrond zwaar op het dak?

Klassieke groene daken maken gebruik van een groeimiddel dat je een substraat noemt. De dunste en lichtste uitvoering is maar 2-5 centimeter dik. Hier kunnen laaggroeiende planten zoals Sedum op groeien. Hoe dikker deze laag, des te hoger de planten die je kunt gebruiken.

Als op een dak een groen dak met een beperkte belastbaarheid kan worden gerealiseerd, hoe verzorg je het dan?

Het idee van een groen dak is dat je er niet meer op hoeft te gaan. Het verzorgt zichzelf.

Kun je een dak hebben dat geschikt is voor mensen, maar dat ook goed is voor het milieu?

Elke plant die je op het dak zet is goed voor het milieu, maar als je het beste van twee werelden wilt, kun je voor een semi-extensieve tuin kiezen. Het grootste deel van het dak maakt dan gebruik van de ideeën voor extensieve daken en dezelfde lichtgewicht substraten, maar op sommige plekken zijn deze dikker, waardoor je er een grotere variëteit aan planten op kunt laten groeien. Met een laag van 5-10 centimeter substraat kun je bijvoorbeeld een bloemenweide maken, kleine bollen en alpenplanten gebruiken. Vervolgens, ervan uitgaande dat het dak het gewicht

aankan, kun je zitplekken en paden creëren en er zelfs grotere planten en bomen in bakken op zetten, die voor spanning en schaduw zorgen.

Kun je op een schuin dak een groen dak maken?

Als het dak meer dan 15-17 procent helt, heb je balken nodig die dwars over het dak worden geplaatst, of een houten geraamte dat voorkomt dat de beplanting gaat glijden. Dit kan tot een helling van 55 procent.

Waarom staat er altijd Sedum op groene daken?

Bij erg dunne lagen substraat wordt meestal Sedum gebruikt, omdat deze plant tegen de omstandigheden kan en geen verzorging nodig heeft.
Sedums...

- kunnen hoge temperaturen en droogte in de zomer verdragen.
- kunnen lage temperaturen in de winter verdragen.
- doen het goed bij sterke wind.
- hebben geen lange wortels en dus geen dikke laag substraat nodig.
- woekeren en bedekken het hele dak.
- woekeren terug om onbedekte en beschadigde plekken te bedekken.
- nemen water op en laten het vrij in de atmosfeer.

TIP

In een warme zomer ziet je dak er misschien niet zo groen uit, maar onder normale omstandigheden zal Sedum zich herstellen zodra het in de herfst begint te regenen.

Hoe werkt het precies?

Groene daken zijn erg eenvoudig – ze bestaan uit vier lagen.

1. Onderop, op het bestaande dak, komt een waterbestendige laag, die meteen de plantenwortels uit het dak houdt.

2. Dan komt er een drainagelaag zodat planten niet kunnen gaan rotten of het dak op den duur beschadigd raakt. Hier gebruik je lichte, grind-achtige materialen voor.

3. Dan komt een filtermat die het drainagemateriaal afscheidt van de laag met substraat.

4. Bovenop komt een laag substraat of een ander groeimiddel. Hier worden lichte materialen als baksteengruis of kleikorrels voor gebruikt.

TIP

In plaats van het substraat gewoon te kopen is het nog 'groener' om afval, zoals sloopmaterialen of spit-grond van een bouwplaats, te gebruiken.

Op dit groene dak is Sedum gebruikt – de ideale plant voor de dunne laag substraat op dit type daken.

Voordelen

Dit is belangrijk. Er zitten veel voordelen aan een terras en hoe meer mensen er een aanleggen, des te groter deze voordelen.

De planten op terrassen:
- vormen een habitat voor dieren.
- dragen bij aan bestrijding van vervuiling – planten vangen stof, recyclen kooldioxide en nemen andere vervuilers op.
- houden de lucht koeler en verzachten het opwarmingseffect dat door steden en bebouwing wordt veroorzaakt.
- nemen regenwater op dat anders naar beneden zou stromen.

- isoleren het gebouw eronder, waardoor de energiekosten omlaaggaan.
- verrassend genoeg helpen ze het dak; een goed gelegd groen dak beschadigt het dak niet, maar verlengt de levensduur, omdat zonlicht minder schade kan aanrichten.
- absorberen geluid – onder vliegroutes worden ze al toegepast om het lawaai in gebouwen te verminderen. Hoe dikker de laag substraat, hoe groter het effect.
- helpen het milieu ook visueel. Elk extra stukje groen in een stad draagt zijn steentje bij, zelfs een groen dak op een tuinschuur is fantastisch.

Je kunt een groen dak ook op een schuur of tuinhuisje aanleggen.

Als de laag substraat iets dieper is, kun je voor grotere planten zoals irissen kiezen.

△ In de herfst zijn de bloemen weg, maar door de rode herfsttinten ziet het dak er nog steeds goed uit.

Isolatie

Uit een onderzoek van de universiteit van Florida is naar voren gekomen dat groene daken isoleren en vocht laten verdampen. Ze koelen het dak dus af en in het gebouw is minder airconditioning nodig. De maximumtemperatuur van een conventioneel dak in hun onderzoek bedroeg circa 55 °C; de maximumtemperatuur van een groen dak bedroeg 32 °C. Dit is een groot verschil, denk alleen al aan de besparing op de airco!

Bij een vergelijkbaar onderzoek in Ottawa ontdekte men dat groene daken het gemiddelde energieverbruik per dag in de zomer met 75 procent deden afnemen.

Dus als je een dak of een gedeelte van een dak hebt dat je niet per se wilt gebruiken, dat daar te klein voor is of niet zwaar belast kan worden, denk dan eens aan een groen dak.

Inspiratie

A l deze technische informatie is natuurlijk erg handig, maar het daadwerkelijk máken van een buitenruimte is een verhaal apart. Hier volgen tien verschillende ontwerpen voor dakterrassen, waarbij alle mogelijkheden en beperkingen aan bod zullen komen.

Een aantal terrassen is beperkt van omvang, vaak niet groter dan een tafel met stoelen, maar door goed over het ontwerp en de uitvoering na te denken, hebben de ontwerpers de ruimte optimaal kunnen benutten en er een persoonlijk stempel op weten te drukken.

Kleurblokken

De buitenruimtes van dit pand zijn een combinatie van een daktuin en terras en ook al ogen ze beide heel anders, samen vormen ze twee afzonderlijke gedeelten van een spectaculaire tuin volgens een sterk, goed doordacht en interessant ontwerp.

Voor

Als je het terras van bovenaf bekijkt, zie je de diverse vormen op de grond die door het gebruik van verschillende materialen, water en plantenbedden zijn ontstaan. Samen vormen ze een sterk, evenwichtig patroon van lijnen, rechthoeken en vierkanten.

Maar ga naar beneden en je ziet dat er in deze patronen niveauverschillen zitten, waardoor de vormen nog interessanter worden. Deze niveaus zijn toegepast om hoogteverschillen op het terras op te vangen. In plaats van een trap te gebruiken om de verschillende niveaus te bereiken, heeft ontwerpster Charlotte Rowe samenhangende terrassen op diverse hoogtes bedacht, die de tuin een spannende en stijlvolle uitstraling geven. De niveauverschillen worden dus gebruikt in plaats van gemaskeerd.

De gekleurde muurpanelen gaan uit van hetzelfde idee. Elk paneel heeft een andere diepte, waardoor het ontwerp meer textuur krijgt dan wanneer er alleen vlakke wanden zouden zijn.

Als je het stijlvolle ontwerp bekijkt, zijn de belangrijkste problemen van deze tuin snel vergeten. Het was een donkere, smoezelige schacht zonder privacy, die gedomineerd werd door hoge muren. Door vooral wit en lichte kleuren te gebruiken heeft Charlotte de ruimte veel lichter gemaakt. De muren zijn versierd met het grote waterelement, met erboven mooie trellisschermen die de hele tuin afschermen.

Plattegrond

Een eetplek buiten was onderdeel van de opdracht en Charlotte heeft een aparte plek voor een lange tafel en stoelen gecreëerd. Ook hier maakte Charlotte een subtiele afscheiding met behulp van planten en potten, waardoor de plek iets is afgezonderd van de rest van de ruimte.

De gekleurde panelen bevatten een mooi waterelement. Extra effect: het water komt slechts aan één kant uit de opening naar beneden.

De gekleurde panelen zijn uitgevoerd in koele tinten blauw en grijs.

Dit verhoogde gedeelte was er al en in plaats van de hoogteverschillen met de bijbehorende kosten aan te pakken, heeft Charlotte ze in het ontwerp hoog gelaten. Hierdoor kon de palmboom blijven staan.

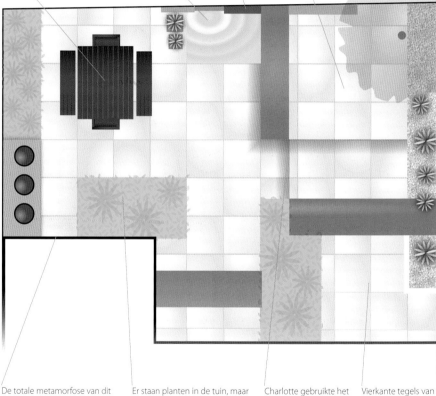

De totale metamorfose van dit donkere terras is verbazingwekkend. Ontwerpster Charlotte Rowe koos als achtergrond voor licht blauwgrijs en voegde met de panelen en de beplanting extra kleur toe.

Er staan planten in de tuin, maar ze zijn met mate gebruikt. Hierdoor is er weinig onderhoud nodig, maar het laat ook zien dat een goed ontwerp niet per se planten nodig heeft.

Charlotte gebruikte het niveauverschil om een soort afscheiding te maken, waardoor aan de zijkant een apart eetgedeelte is ontstaan.

Vierkante tegels van kalksteen zijn verrassend licht en weerkaatsen het beetje licht dat er is door de ruimte.

▶ Charlotte heeft de niveauverschillen zorgvuldig verwerkt om spanning te creëren en ze diende als basis voor de rest van het ontwerp.

▲ Deze tuin toont een mooie mix van oud en nieuw. De strakke, witte muren zijn modern; de blauweregen en raampartijen oud.

▲ Hortensia's zijn ideale planten voor schaduwrijke, stijlvolle binnentuinen. Als de plek beschut is, blijven de mooie, verwelkte bloemen de hele winter staan.

▶ In de bakken naast het waterbassin staan aronskelken, die er naast het water mooi uitzien en, als het weer meevalt, de hele winter hun blad behouden.

▼ Het heeft iets speciaals, water onder een trap of bruggetje zoals hier.

I

▲ De bergkast voor de boiler in de hoek is geverfd, zodat hij past bij de rest van de muren. Charlotte heeft de bovenkant met dezelfde kalkstenen bedekt als de vloer, ook nu weer om hem één geheel met de rest te maken. Tot slot gebruikte ze de schuur als een soort vensterbank om drie grote vazen op te zetten. Van onderen verlicht zien deze er zowel overdag als 's avonds prachtig uit.

▼ 's Avonds zorgt de tuinverlichting voor een ander gevoel. De gekleurde zuilen worden van boven verlicht, er ontstaan schaduwen op de muren en het groen wordt transparant.

▶ Deze tuin is voor verlichting gemaakt. De platte muurpanelen en de sterke vormen en kleuren zorgen voor een mooi schaduwspel.

Mini

Niet alle dakterrassen en balkons hebben uitzicht. Deze tuin wordt aan drie kanten omsloten door het appartement en aan de andere kant bevindt zich een muur. Het goede nieuws is dat problemen met betrekking tot wind en veiligheid hier niet zo'n grote rol spelen (maar je moet nog steeds rekening houden met belastbaarheid, het blijft een dak). Het slechte nieuws is dat je geen uitzicht hebt.

Voor

Hoe pak je dit ontwerp aan? Ga eens terug in de tijd. Pak deze ruimte aan zoals de Romeinen dat met hun binnenplaats deden – een koel, centraal atrium met een waterelement in het midden als blikvanger en ter verkoeling. Dat is de basis van het ontwerp.

De opdrachtgevers wilden een onderhouds-vriendelijke buitenruimte die er het hele jaar door mooi uitziet – vanuit de zitkamer, keuken en de ingang van het appartement heb je uitzicht op het terras. Daarom is in het midden een onderhoudsvriendelijk waterelement neergezet. Het staat op een roestvrijstalen kubus, zodat het voldoende impact heeft. Eromheen zijn de lijnen eenvoudig en strak en de beplanting is minimaal en wintergroen; voldoende voor een groene aanblik, maar onvoldoende voor te veel werk. Banken dragen bij aan het ontwerp en vormen zitplekken die het hele jaar door buiten kunnen blijven staan. Ze voorzien ook in extra bergruimte.

Plattegrond

De leefgedeelten bevinden zich aan drie kanten van de buitenruimte, dus die moet er vanuit al deze hoeken goed uitzien.

Ontwerpster Pamela Johnson heeft het waterelement in het midden gezet, zodat het van alle kanten zichtbaar is. Zou het tegen de muur staan, dan kun je het alleen vanaf één kant zien.

De strakke lijnen van de tuin passen precies bij de lijnen van het gebouw eromheen. Het waterelement staat exact in het midden van de drie belangrijkste ramen die op de tuin uitkijken.

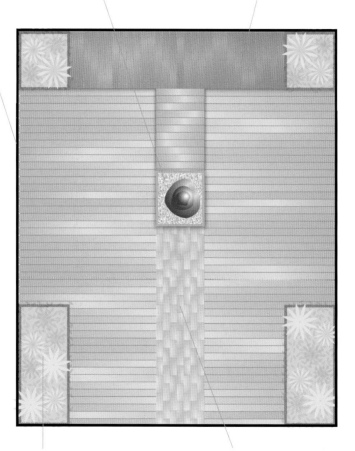

Elke beschikbare muur is gebruikt voor de zitbanken of voor bakken met hoge planten die het gevoel van een binnenplaats versterken.

Het middengedeelte is open gelaten, maar er loopt een strook doorheen om het iets spannender te maken. Aan de ene kant bestaat deze uit het waterelement, aan de andere kant uit een verandering in de vloer.

▶ Vanuit huis lijkt de buitenruimte enorm. Dit is ze niet, maar de strook tegels die van het pand weglopen laten haar langer lijken.

▲ Vaak zie je tuinen van beneden af – bijvoorbeeld als je op een van de banken zit. Denk er dus ook over na hoe ze er vanuit deze hoek uitzien.

▶ Door slechts een beperkte hoeveelheid verschillende materialen te gebruiken maak je van het design een geheel. Roodbruin hardhout en zilvergrijs zijn de enige kleuren bestrating.

▼ Dit soort banken zijn onmisbaar. Je kunt er makkelijk veel mensen op kwijt. Ze maken deel uit van het ontwerp en de ruimte lijkt groter. Ze zijn verder als bergplek te gebruiken, wat op een klein terras een pluspunt is.

▲ De banken en vloer maken gebruik van hetzelfde hout. Hierdoor lijkt een ruimte groter. De vloer houdt niet plotseling op bij de muur, maar loopt erop door.

▲ Naast de bank zorgen grote lavendelplanten voor geur en ze verzachten de uitstraling van het totaalbeeld.

▼ Zelfs hartje zomer krijgt een plek als deze, omgeven door bebouwing, weinig zon. Door het ontwerp helder en eenvoudig te houden met een lichtgekleurde wand aan één kant, maak je optimaal gebruik van het aanwezige licht.

◄ Er is een interessante mix van opvallende planten (de grote waaierpalm is winterhard), met eronder speelsere vormen van lavendel die voor geur en kleur zorgt.

Decoratief

Bij dit dakterras was de tuinontwerper met name bezig
met het aankleden van de
buitenruimte. Het terras was zo klein,
dat het niet zozeer ging om herinrich-
ten als wel om het praktischer, mooier
en uitnodigender te maken.

Een van de grootste problemen van deze ruimte was de hoge muur aan de achterkant. Deze was eerst wit en het leek alsof hij naar voren de ruimte in kwam vallen. Ontwerpster Sara Jane Rothwell nam de ruimte onder handen en verfde de muur blauw. Zo lijkt het alsof die meer naar achteren staat. Ze maakte ook vaste banken en plantenbakken aan de onderkant, om het grote vlak te doorbreken. Hierdoor begint de muur niet op de grond en reikt hij tot de lucht. Sara Jane gebruikte zowel op de banken als op de vloer hetzelfde hout. Hierdoor wordt de ruimte één geheel en blijft het aantal verschillende materialen beperkt.

Iets hoger op de muur kwamen klimplanten, die langs strakke draden worden geleid, waardoor het grote vlak een zachtere uitstraling krijgt.

Verlichting speelde in de ruimte ook een grote rol. Niet alleen ziet het er hier 's avonds prachtig uit, je kunt de ruimte ook daadwerkelijk gebruiken als het donker is. Dit soort finishing touches maken dit terras speciaal. Het achterliggende ontwerp probeert een strakke ruimte te creëren; door de aankleding wordt het warmer. De kleurrijke kussens vormen een mooi contrast met de vergrijsde tinten van de muur en de muurornamenten zorgen voor een persoonlijke touch.

Plattegrond

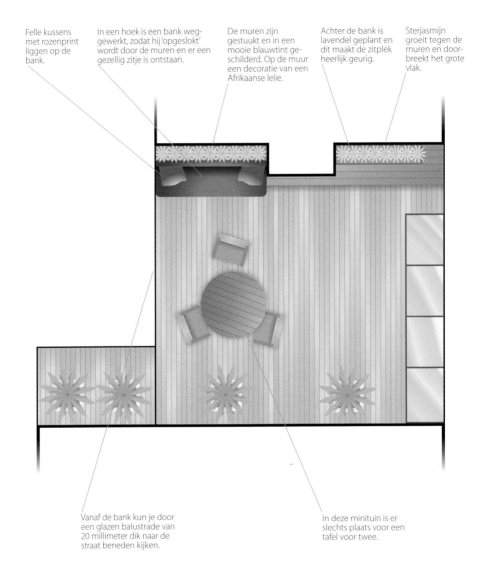

Felle kussens met rozenprint liggen op de bank.

In een hoek is een bank weggewerkt, zodat hij 'opgeslokt' wordt door de muren en er een gezellig zitje is ontstaan.

De muren zijn gestuukt en in een mooie blauwtint geschilderd. Op de muur een decoratie van een Afrikaanse lelie.

Achter de bank is lavendel geplant en dit maakt de zitplek heerlijk geurig.

Sterjasmijn groeit tegen de muren en doorbreekt het grote vlak.

Vanaf de bank kun je door een glazen balustrade van 20 millimeter dik naar de straat beneden kijken.

In deze minituin is er slechts plaats voor een tafel voor twee.

▷ In plaats van een railing die het plaatje verstoort, is er gekozen voor een afscheiding van gehard glas. Dit is veilig, maar de uitstraling van de tuin blijft bewaard. Op de bank liggen mooie kussens.

◄ Twee mooie Japanse esdoorns in stijlvolle, moderne potten staan aan weerszijden van de ingang.

▲ Sterjasmijn wordt langs strakke draden geleid die dwars over de muur lopen.

▼ De kussens kunnen in de bank worden opgeborgen.

▲ Een eenvoudige wandlamp schijnt op een gestuukte muur en heeft zo een bijzondere uitstraling.

◀ Deze muurdecoratie door-breekt het grote muurvlak.

▶ Deze grote muuroppervlakken verspreiden het licht optimaal.

▼ Om water uit het stucwerk te weren zijn de muren aan de bovenkant voorzien van lood.

Entertainen

De eigenaars van dit dakterras hadden voorheen een plat terras met vlonders, zonder enige structuur en zonder groen. Ze wilden een plek creëren waar ze mensen konden ontvangen en waar het het hele jaar door groen is. Dit ontwerp van Ruth Marshall laat zien wat je met bakken en een goed ontwerp kunt bereiken.

Met behulp van grote bakken heeft de ontwerpster verschillende delen gedefinieerd. Deze scheiden het eetgedeelte enigszins af en markeren het als een apart deel van het terras. Het zitgedeelte wordt deels overdekt met staaldraden, zodat planten ertegenop kunnen groeien en er een schaduwrijke hoek ontstaat. Grote olijfbomen geven de ingang aan en op de hoeken accentueren ze de ruimte. Op andere plekken staan de bakken op de vlonders, waardoor hun vormen in plaats van hun hoogte deel uitmaken van het ontwerp. Deze bakken zorgen voor beplanting, zonder dat het uitzicht wordt verstoord.

Het ontwerp is afgemaakt met blauwe LED-verlichting en een geluidsinstallatie.

De beplanting is gekozen op basis van zijn bestendigheid tegen droogte en wind. Mediterrane planten, zoals olijf en lavendel en speelse grassen, kunnen allemaal tegen winderige, droge omstandigheden.

Plattegrond

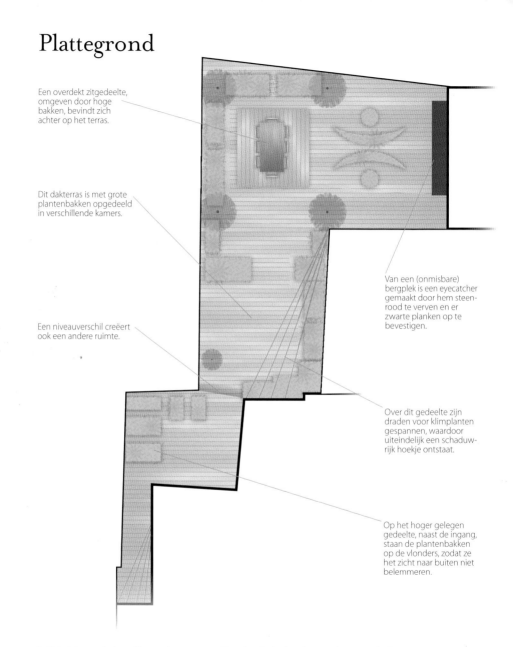

Een overdekt zitgedeelte, omgeven door hoge bakken, bevindt zich achter op het terras.

Dit dakterras is met grote plantenbakken opgedeeld in verschillende kamers.

Een niveauverschil creëert ook een andere ruimte.

Van een (onmisbare) bergplek is een eyecatcher gemaakt door hem steen-rood te verven en er zwarte planken op te bevestigen.

Over dit gedeelte zijn draden voor klimplanten gespannen, waardoor uiteindelijk een schaduw-rijk hoekje ontstaat.

Op het hoger gelegen gedeelte, naast de ingang, staan de plantenbakken op de vlonders, zodat ze het zicht naar buiten niet belemmeren.

▷ Subtiel, maar belangrijk voor het ontwerp: Rose heeft de vlonders van het zitgedeelte verhoogd en dwars gelegd, zodat het aanvoelt als een andere kamer.

▲ Hoge planten, zoals deze olijf, staan in de grotere bakken en creëren een gevoel van privacy en afzondering.

◄ Plantenbakken van gepoederd staal in geometrische, maar asymmetrische vormen zijn een mooi stilleven.

▲ In de bakken die vanuit huis het meest zichtbaar zijn, staan wintergroene, opvallende planten die er het hele jaar mooi uitzien.

▼ De bakken zijn voor de tuin op maat gemaakt van gepoederd staal en gespoten in de gewenste kleur.

▲ Deze zilverachtige planten zijn ideaal voor op daken. Ze komen van oorsprong voor in warme, mediterrane landen, waar de zon fel schijnt en water schaars is – net zoals soms op een dakterras het geval is. Hun blad is zilverachtig om waterverlies te voorkomen.

▲ De afscheidingen van het terras zijn van gehard glas dat tussen stalen frames zit. Het licht kan erdoor naar binnen vallen en de gasten kunnen naar buiten kijken.

▼ De kamer achter op het terras is de ideale eetplek.

▷ Door veel planten in grote bakken te zetten, krijgt het dak een erg groene, weelderige uitstraling.

Terrassen

O mdat er weinig ruimte was om wat mee te doen, richtte ontwerper Amir Schlezinger zich op enorme plantenbakken, die kunstwerken werden en een mooi beeld geven als finishing touch.

Voor

135

Plantenbakken met stijlvolle, sterke lijnen. Meer heb je niet nodig om een terras aan te kleden, maar zorg wel dat de bakken groot genoeg zijn. Is dit niet het geval, dan ziet het terras er onaf en halfslachtig uit.

Deze bakken zijn gemaakt van gepoederd staal en omdat het dak niet voldoende toegankelijk was, moesten ze er met een hijskraan op worden getild.

Dit soort enorme plantenbakken kun je van fiberglas laten maken en een lokale vakman kan je adviseren over mogelijke ontwerpen – over het algemeen zijn bakken van platte vlakken zoals deze, vrij eenvoudig te maken en ze kunnen in allerlei kleuren worden afgewerkt. Door ze op maat te laten maken, heeft het terras verder weinig meer nodig, dus het is een goede investering. Van achteren verlicht zien ze eruit als kunstwerken.

Je kunt ze meters lang maken en erg diep. Gevuld met aarde zouden ze vreselijk zwaar zijn, dus maak er of een valse bodem in voor de grond, of vul een groot gedeelte op met perliet of een ander licht materiaal.

Plattegrond

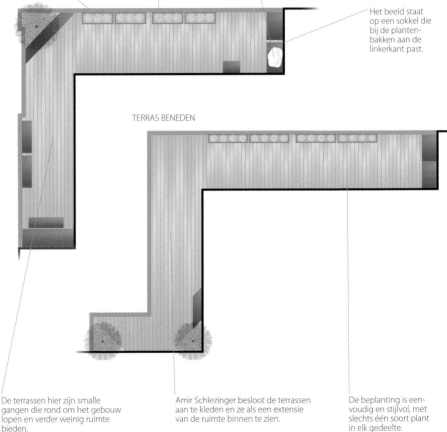

Om zo veel mogelijk licht door te laten, koos Amir voor open plantenbakken die een soort geometrische raampjes op de wereld erachter worden.

De bakken zijn gemaakt van gepoederd staal en op maat ontworpen.

Aan het uiteinde van de zichtlijn staat een kunstwerk dat het oog trekt. Buitenkunst geeft een kleine ruimte een spannende en mooie look.
Ga eens op bezoek bij een kunstenaar in de buurt om werken te bekijken.

TERRAS BOVEN

Het beeld staat op een sokkel die bij de plantenbakken aan de linkerkant past.

TERRAS BENEDEN

De terrassen hier zijn smalle gangen die rond om het gebouw lopen en verder weinig ruimte bieden.

Amir Schlezinger besloot de terrassen aan te kleden en ze als een extensie van de ruimte binnen te zien.

De beplanting is eenvoudig en stijlvol, met slechts één soort plant in elk gedeelte.

▶ Een van de mooie dingen aan dit terras is het uitzicht op de St. Paul's Cathedral. Amir heeft in de hoek van het terras beneden een boom neergezet om het oog in die richting te trekken.

▲ Op het terras beneden staan ook weer enorme plantenbakken. Tegen een muur laten ze geen licht door, maar hun unieke in elkaar hakende ontwerp is een mooi statement.

◀ Het terras beneden is zichtbaar vanaf het terras boven, dus het moet er ook vanuit deze hoek mooi uitzien.

▼ Gepolijste keien vormen een mooie afwerking voor deze bak.

▶ Naast de muur van de zitkamer staan lage bakken.

Thematisch

D it terras 'hangt' aan de zijkant van een heuvel. Voor het huis is een vlak gedeelte gecreëerd, waarvandaan het verder naar beneden helt. Aan een kant van het terras bevindt zich een enorme muur, waarbij bakstenen steunpilaren er op gelijke tussenruimte uitsteken. Niet de meest veelbelovende plek om een terrastuin aan te leggen.

Tuinontwerpster Catherine Thomas kreeg een duidelijke opdracht: de opdrachtgevers wilden een mediterraan terras. Catherine heeft van het in potentie moeilijke terras een prachtige tuin weten te maken. De muur is gestuukt, waardoor hij lichter oogt. Door het stucwerk vrij grof te houden en het oker te verven kreeg de tuin zijn eigen stijl. Met behulp van de muur zijn beschutte plekjes voor beplanting en twee geweldige blikvangers gemaakt.

Bij het huis plaatste ze een grote muurfontein waarvan de spuitstukken, die doen denken aan een Spaanse dorpsfontein, in de muur zijn verwerkt. De eyecatcher van deze tuin is de verhoogde bank, omringd door terracotta tegels. De muur dient als achtergrond.

Er werd geen gras gebruikt, want hiervoor zou extra grond nodig zijn en een gazon is voor deze tuin te Engels. De hele uitstraling ademt een gevoel van hete zomers en warme zon uit en het reflecterend grind op de grond past hier goed bij.

Door zijn duidelijke stijl ziet deze tuin er erg compleet uit en elk object past bij het thema en de uitstraling.

Plattegrond

Grind op de grond zorgt voor een droge, lichte, mediterrane uitstraling. Planten staan in het grind, in gaten gevuld met aarde.

Om de tuin zijn eigen uitstraling te geven zijn voor de paden grote tegels gebruikt.

Urnen en terracotta potten, vaak gevuld met felrode geraniums, dragen bij aan de mediterrane uitstraling.

Het terras ligt tegen een heuvel en heeft aan de ene kant een enorme draagmuur en mooie uitzichten aan de andere kant.

De eigenaars wilden een terras met een mediterrane sfeer: het stucwerk op de muren, in combinatie met bakstenen zorgen hiervoor.

De verhoogde bank oogt niet alleen mooi, maar vanaf hier heb je het mooiste uitzicht op de tuin.

De terracotta tegels op de vloer en de bank dragen bij aan de mediterrane sfeer.

De zijmuren zijn erg dominant aanwezig en hier is in de tuin gebruik van gemaakt. Tuinontwerpster Catherine Thomas maakte er verhoogde banken en een verhoogd waterbassin voor.

▶ Een grote urn is getransformeerd tot waterelement. Het water valt over de zijkant van de urn in een ondergronds reservoir, dat is weggewerkt onder keien en een rooster. De terracotta tegels eromheen zorgen dat het waterelement helemaal op zijn plaats is.

▲ Onder de bank zit een rij felblauwe mozaïektegels.

▲ Veel van de planten zijn wintergroen, dus ook in de winter is er veel te zien.

▲ Grote bakken maken een statement en er passen grote planten in. Zet ze bij elkaar en je krijgt een informele uitstraling.

◀ Felrode geraniums in potten op de muur zouden zo uit Zuid-Frankrijk of Spanje kunnen komen.

▼ De muur met zijn grote, bakstenen steunpilaren, biedt plaats aan het uitnodigende zitgedeelte. De warm gekleurde muur, terracotta tegels, planten en accessoires dragen bij aan de mediterrane sfeer.

▲ In deze tuin vind je geen gras, maar wel veel groen. De grond bestaat hier grotendeels uit steengruis – niet geschikt voor een gazon, maar wel voor mediterrane planten.

◄ Het is verbazingwekkend hoe bepalend de afwerking van de bovenkant van een gestuukte muur is. Zonder afwerking ziet het er strak en modern uit. Dezelfde muur met hetzelfde stucwerk, maar met bakstenen aan de bovenkant lijkt uit een Spaanse plattelandstuin te komen.

▶ Verstopt in een hoek staat een metalen tafeltje met stoelen.

Jacuzzi

Dit terras is zeer geschikt om opgedeeld te worden in verschillende ruimtes. Er zijn overal bergplekken en ventilatie-schachten die niet verplaatst konden worden en die de tuin als het ware in drieën verdelen. In plaats van hier een oplossing voor te bedenken, werd dit het uitgangspunt voor het ontwerp.

Aan een kant bevindt zich een relaxgedeelte, een zentuin met grind en een hangmat met perfect uitzicht over Londen. Grindpatronen op de grond zijn kenmerkend voor een Japanse oase van rust.

In het midden bevindt zich de spatuin met jacuzzi, met ook hier een schitterend uitzicht, nu over de Theems. Transparant glas is gebruikt als afscheiding – om de wind buiten te houden, maar het zicht niet te belemmeren.

Aan de andere kant is de plek waar gasten worden ontvangen op lage stoelen en tafels.

Overal zie je mooie, wintergroene beplanting die de indeling nog verder versterkt. Bamboe en buxusbollen blijven de hele winter groen en hebben weinig verzorging nodig. Het oosterse thema is in de tuin ook doorgevoerd in de beeldenkeuze.

En 's avonds krijgt de tuin door zijn gekleurde lichtjes iets magisch. Deze zijn opvallend en fel genoeg om niet weg te vallen tegen de skyline van de stad.

Plattegrond

De hangmat heeft een standaard en past bij de Japanse sfeer van de tuin.

Dit dak in hartje Londen is in verschillende ruimtes verdeeld. Dit deel is het relaxgedeelte en een zentuin.

Op 'sokkels' van gemarkeerde cirkels in het grind staan beelden van zwerfhout en stenen.

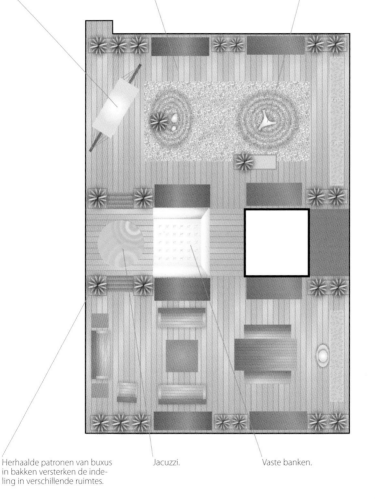

Herhaalde patronen van buxus in bakken versterken de indeling in verschillende ruimtes.

Jacuzzi.

Vaste banken.

▶ Bamboe zorgt aan de zijkanten, waar het uitzicht niet zo mooi is, voor een wintergroene afscheiding.

▲ Als je op je dak een jacuzzi wilt en een mooi uitzicht wilt behouden, dan houdt een scherm van perspex de koude wind tegen.

▼ Het terras moet om de buitenstructuur van het gebouw passen en de ontwerpers hebben de ventilatieschachten gebruikt om verschillende delen te creëren.

▶ Het oosterse thema is ook in de beelden doorgevoerd.

◀ Vanuit de hangmat heb je een mooi uitzicht over de rivier. De mooie vorm draagt bij aan de Japanse sfeer in de tuin.

▲ Dit is een daktuin met schitterende uitzichten. De ontwerpers hebben daarom weinig grote dingen gebruikt die het panorama kunnen verstoren.

▼ De vorm van de keien kan door de eigenaar worden aangepast en in een nieuw patroon worden gelegd.

Heuvelachtig

Deze tuin was een steile, verwilderde en onbruikbare helling die vanaf het huis naar beneden liep. Er waren terrassen nodig om zitplekken te maken waardoor men van de tuin kon genieten.

Voor

Ontwerpster Debbie Roberts koos niet voor grote terrassen, maar voor meerdere, verspreid over de tuin en op verschillende niveaus. Hierdoor zijn intieme kamers ontstaan, elk met zijn eigen uitzicht op de tuin. De vormen van de kamers worden versterkt door mooie, houten banken. Dit is een perfect voorbeeld van een tuin met opvallende lijnen en vormen. Het hele jaar door bewaren de vormen van de vlonders en de sterke lijn van de lage muur de opbouw van de tuin, en in de zomer worden ze verzacht door de weelderige beplanting.

Een belangrijk punt in het ontwerp was het onderhoud. De tuin is groot, dus om hem beheersbaar te houden is er goed nagedacht over de beplanting. Er is een goede basis van wintergroene planten geplant. Hoge bamboe en heesters vormen de achtergrond en rond om de terrassen staan ereprijs, taxus, Nieuw-Zeelands vlas en palmen. Deze vragen weinig onderhoud. Daarnaast staan er nog wat sierplanten. Om het onderhoud hiervan zo klein mogelijk te houden, is maar een beperkt aantal soorten toegepast en de daglelie, ijzerhard en vuurpijl staan in groepen bij elkaar. Het idee is dat deze niet teruggesnoeid hoeven te worden – slechts een keer per jaar – en omdat de eigenaars hier een gewone snoeischaar voor kunnen gebruiken, is de klus snel geklaard.

Plattegrond

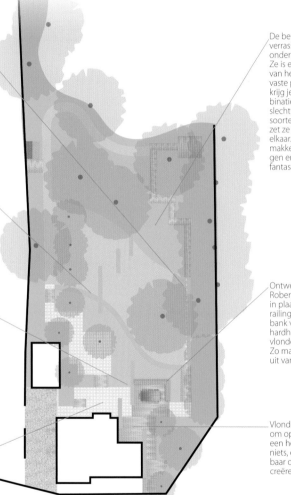

Een pad van stapstenen loopt over het gazon. Dit kan een te opvallende, rechte lijn vormen, maar omdat hij van stapstenen in het gras is gemaakt, valt hij een stuk minder op.

Een terras wordt gevormd door een lange, gebogen muur. Deze zorgt voor een groot niveauverschil, houdt de hoger gelegen tuin op zijn plek en maakt mogelijk dat het gazon eronder vrij vlak is.

Buxushagen zorgen op de diverse terrassen voor privacy. Ze schermen ze van elkaar af, maar geven je als je er zit ook een gevoel van geborgenheid. Ze zorgen dat de blik verder de tuin in wordt getrokken.

Aan weerszijden van het vlonderterras liggen bestrate gedeelten die naar het gazon eronder leiden.

De beplanting heeft verrassend weinig onderhoud nodig. Ze is een mooie mix van heesters en vaste planten. Hoe krijg je deze combinatie? Gebruik slechts een of twee soorten planten en zet ze in groepen bij elkaar. Zo kun je ze makkelijker verzorgen en het oogt fantastisch.

Ontwerpster Debbie Roberts gebruikte in plaats van een railing, een vaste bank van hetzelfde hardhout als de vlonder eronder. Zo maakt hij deel uit van het terras.

Vlonders zijn ideaal om op een plek met een helling uit het niets, een vlak, bruikbaar oppervlak te creëren.

▶ Hier zijn vrij grote bomen gebruikt om de beplanting hoogte te geven. Deze hebben standaard een kale stam tot ongeveer anderhalve meter hoog, zodat ze het zicht vanaf het terras niet belemmeren.

▲ Enorm vedergras en ijzerhard (Verbena bonariensis) passen perfect bij elkaar en vangen het licht van de zon. Ze worden ongeveer anderhalve meter hoog en vormen in de zomer een transparante afscheiding.

◀ De vaste banken zijn gemaakt van hardhout.

▲ Opvallende planten zoals deze zien er te gek uit en zijn ook makkelijker te onderhouden dan een mengelmoes van verschillende planten. Een rij lage grassen aan de voorkant, dan een rij varens en achteraan een paar wintergroene struiken. Ze hoeven alleen in het voorjaar teruggesnoeid te worden.

▼ Naast de muur is een rij daglelies geplant die er de hele zomer schitterend uitzien. De muur zelf zorgt in de winter voor structuur en aan het uiteinde staat een wintergroene ereprijs, die het hele jaar voor groen zorgt.

▲ Boven aan de trap naar het hoofdgazon is een zit-plek met een mooi uitzicht op de tuin.

▼ De terrassen zijn eigenlijk aparte kamers. Ze hebben op verschillende tijdstippen zon en om een afgezonderd gevoel te krijgen liggen er diverse materialen op de vloer.

▶ De eigenaars hebben geen tijd en ruimte voor een moestuin, daarom staan er groenten in potten op de terrassen.

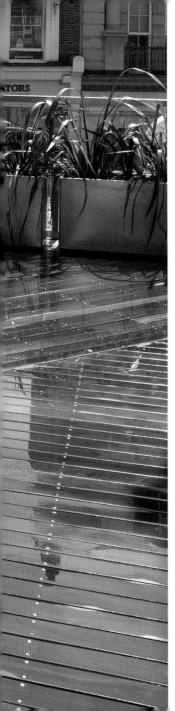

Minimalistisch

Als ruimte en tijd beperkt zijn, is het altijd een goed idee om op het ontwerp van een dak of terras een minimalistische benadering toe te passen. Dit terras is slechts een smalle gang tussen twee gebouwen – een ruimte die zelden zon en geen enkele privacy heeft.

Voor

De eigenaars wilden een onderhoudsvriendelijke, bruikbare ruimte die bij het hoge afwer-
kingsniveau van hun appartement paste.
Ze wisten dat ze de ruimte niet veel zouden
gaan gebruiken, maar het moest er mooi
uitzien.

De ontwerpers hebben een minimalistische
tuin ontworpen, waarbij ze de beste materialen hebben gebruikt om een mooie buitenruimte te creëren. De spaarzame beplanting
staat in mooie, roestvrijstalen bakken. De
beplanting heeft weinig onderhoud nodig.

Bij de deur bevindt zich een zitgedeelte, en
een zonnescherm is eveneens in het ontwerp
opgenomen.

Plattegrond

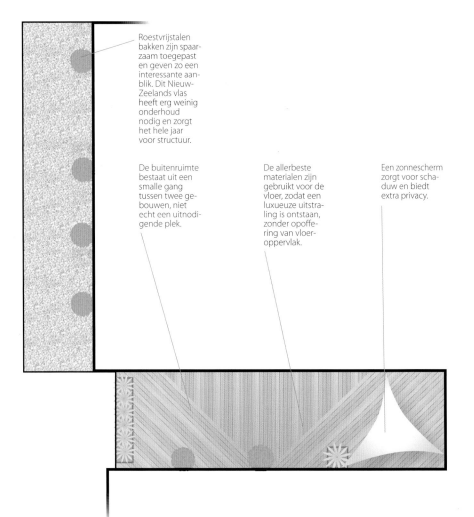

Roestvrijstalen bakken zijn spaarzaam toegepast en geven zo een interessante aanblik. Dit Nieuw-Zeelands vlas heeft erg weinig onderhoud nodig en zorgt het hele jaar voor structuur.

De buitenruimte bestaat uit een smalle gang tussen twee gebouwen, niet echt een uitnodigende plek.

De allerbeste materialen zijn gebruikt voor de vloer, zodat een luxueuze uitstraling is ontstaan, zonder opoffering van vloeroppervlak.

Een zonnescherm zorgt voor schaduw en biedt extra privacy.

▶ In plaats van horizontaal of verticaal, zijn de vlonders diagonaal gelegd, zodat de ruimte een energiekere uitstraling krijgt.

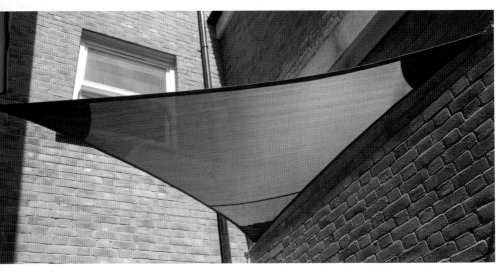

▲ Het zonnescherm biedt beschutting en privacy, zonder dat er te veel licht wordt weggenomen.

▼ De materialen zijn van de beste kwaliteit en de detail-afwerking is hoog. Het hardhout heeft een roodbruine kleur.

▶ Zelfs op plekken waar het voor mensen te gevaarlijk is om te lopen, is er ruimte voor een patroon van bakken met bomen. Ze staan tussen de ramen, waardoor het zicht vanaf de straat mooier is.

◀ Het rood in het blad van het Nieuw-Zeelands vlas sluit aan bij het rood in het hout en contrasteert met het zilver van de bakken.

▲ Iets wat je maar zelden hoort over vlonders, vooral die van een goede kwaliteit, is dat ze er glanzend mooi uitzien.

▼ De roestvrijstalen bakken zorgen voor privacy in verband met de straat beneden.

Woestijnstijl

Als je denkt dat dit ontwerp simpel is, dan is het geslaagd. Het is een minimalistisch ontwerp, maar er is goed nagedacht over de uitwerking van een aantal lastige plekken.

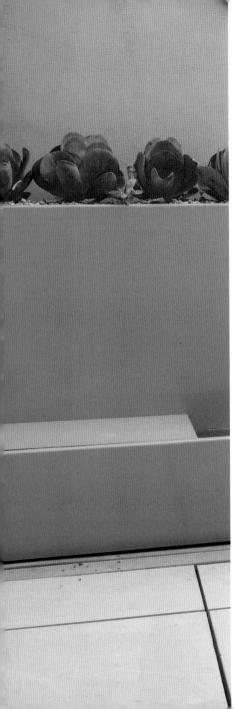

Er zijn hier twee verschillende terrassen. Het terras op het zuiden heeft een woestijnthema: agaves, muren in zandtinten en de waterval die past bij het zonnige gevoel. Het terras op het noorden heeft meer schaduw, een bar en een zitgedeelte. Ontwerper Amir Schlezinger heeft deze smalle gangen verandert in opvallende, bruikbare en mooie ruimtes.

Aan de zuidkant heb je een uitnodigende buitenruimte met bank en tapijt en een overkapping, om de grens tussen binnen en buiten te vervagen.

Maar de reden waarom deze tuin werkt, is de manier waarop het ontwerp in de ruimte is verwezenlijkt. De ontwerper werd er op tijd bij gehaald om het beste van de ruimte te maken. Hij kon muren plaatsen die bij het ontwerp pasten met nissen voor kunstwerken en plekken voor waterelementen. Zelfs de hoogte van de scheidingsmuren is van tevoren bedacht, zodat ze precies bij het zitgedeelte zouden passen. Dit is de perfecte reclame om bij de aanleg van een dakterras al in een vroeg stadium een tuinontwerper in de arm te nemen.

Plattegrond

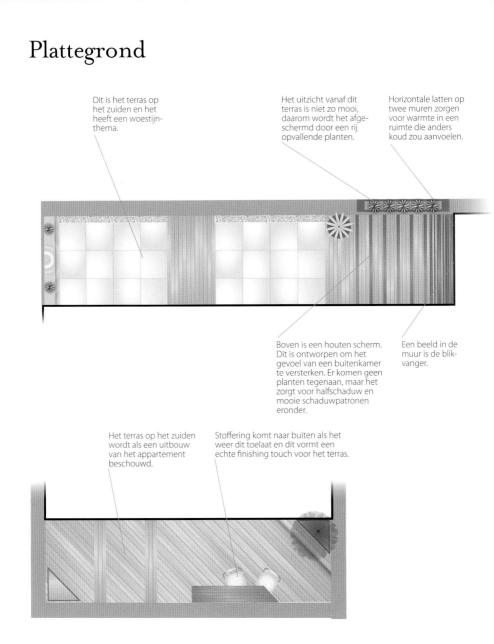

Dit is het terras op het zuiden en het heeft een woestijn-thema.

Het uitzicht vanaf dit terras is niet zo mooi, daarom wordt het afge-schermd door een rij opvallende planten.

Horizontale latten op twee muren zorgen voor warmte in een ruimte die anders koud zou aanvoelen.

Boven is een houten scherm. Dit is ontworpen om het gevoel van een buitenkamer te versterken. Er komen geen planten tegenaan, maar het zorgt voor halfschaduw en mooie schaduwpatronen eronder.

Een beeld in de muur is de blik-vanger.

Het terras op het zuiden wordt als een uitbouw van het appartement beschouwd.

Stoffering komt naar buiten als het weer dit toelaat en dit vormt een echte finishing touch voor het terras.

▷ De deuren van het appartement slaan naar buiten open, zodat buiten echt bij binnen wordt betrokken.

⬟ In de muur aan het uiteinde van de tuin is een nis gemaakt voor kunst en beelden.

◀ De verlichting op het terras is 's avonds erg mooi. Er zijn twee lampen gebruikt: een downlighter onder de bank en een uplighter die de bladeren van de boom uitlicht.

⬟ Niet-winterharde planten kun je per seizoen en met je gemoeds- toestand veranderen en zij staan in de meeste potten mooi. Deze bakken zit vol zilverkleurig grind dat mooi past bij het zilverkleurige blad erboven en de zilveren bakken eronder.

▼ Op het terras op het noorden bevindt zich een ontbijtplek met uitzicht over de daken. Een kleed zorgt voor een huiselijke sfeer.

▲ Elke tafel, bank of overkapping kan van onderen
worden verlicht en dat zal
waarschijnlijk een mooi effect geven. De lichtbron is
uit het zicht en het oppervlak lijkt te zweven.

▼ Een bank en echte kussens geven je
buitenruimte een erg speciale uitstraling.
Als je een manier kunt bedenken om deze
buitenruimte te gebruiken en een bergplek
hebt om ze snel in op te kunnen bergen,
dan zul je merken dat je meer buiten bent,
simpelweg omdat het er comfortabeler is.

▶ Er zijn maar weinig verschillende planten gebruikt
en deze zijn als accenten
geplaatst. Dit en dezelfde
kleur verf op de muren,
maakt van de ruimte één
geheel.

Nuttige adressen

Ontwerpers

Acres Wild Garden and Landscape Design
www.acreswild.co.uk

Amir Schlezinger
MyLandscapes roof terraces and gardens
www.mylandscapes.co.uk

Catherine Thomas Landscape and Garden Design
www.catherinethomas.co.uk

Charlotte Rowe Garden Design
www.charlotterowe.com

Emma Plunket
www.plunketgardens.com

Pamela Johnson Garden Design
www.pamelajohnson.co.uk

Ruth Marshall
Cool Gardens Landscaping
www.coolgardens.co.uk

Sara Jane Rothwell
Glorious Gardens
www.gloriousgardendesign.co.uk

Site Specific Ltd
Interior design and more
www.sitespecificltd.co.uk

Urban Roof Gardens
www.urbanroofgardens.com